Collection
PROFIL LITTÉRATURE
dirigée par Georges Décote

Série
PROFIL D'UNE ŒUVRE

Les Confessions
(1765 - 1770)

ROUSSEAU

Résumé
Personnages
Thèmes

JOËL DUBOSCLARD
agrégé des lettres

HATIER

Sommaire

© **HATIER PARIS JANVIER 1983**

ISSN 0750-2516 ISBN 2-218-05264-4

Toutes les références aux *Confessions* renvoient à l'édition Folio
(Gallimard éditeur).

Introduction

Pourquoi lire aujourd'hui les « Confessions » ?

« Voici le seul portrait d'homme, peint exactement d'après nature et dans toute sa vérité, qui existe et qui probablement existera jamais : tels sont les premiers mots de Rousseau, dans l'Avertissement aux *Confessions*. La suite est dans le même ton : cette œuvre d'une vérité et d'une sincérité exceptionnelles appelle un lecteur lui-même exceptionnel : charitable, impartial, attentif, généreux... D'emblée les rapports de l'auteur des *Confessions* et de ses lecteurs s'avèrent violemment passionnés. Que nous sommes loin de la désinvolture d'un Montaigne, qui nous congédiait avec une coquetterie détachée, au seuil des *Essais :* « Adieu, donc, lecteur... »

La destinée des *Confessions* a semblé longtemps, jusqu'à la fin du XIXe siècle peut-être, inséparable de la personnalité de Rousseau : les apôtres de l'homme défendaient bien sûr l'œuvre, ses ennemis l'accusaient d'avoir raconté sa vie sous des couleurs faussées, ou de s'être confessé impudiquement.

Aujourd'hui, la marée des jugements passionnels ou moraux a reflué, rendant à lui-même un livre que l'on s'accorde à placer au premier rang des chefs-d'œuvre de l'autobiographie. On s'est ainsi aperçu que Rousseau avait été le premier à traiter de l'enfance en termes modernes (au point qu'on a pu parler de freudisme à l'état latent) ; non moins moderne est apparue son analyse du « moi », sa lucidité traquant passionnément ce qui, dans une conduite humaine, demeure obscur à celui-là même qui agit ; bien avant Stendhal, Nietzsche ou Gide, il aura réclamé le droit à la contradiction, au paradoxe provocateur et vivifiant.

Voilà bien des séductions pour un seul livre ; mais nous oublions l'essentiel : la proximité, la complicité même qui unit le lecteur à l'auteur de ces *Confessions*. Rien à faire : Rousseau nous tient sous le charme, un charme familier et comme enveloppant : est-ce pour rien que l'usage veut que, seul de nos écrivains, on l'appelle par son prénom : Jean-Jacques ?

1 Vue d'ensemble sur l'œuvre et la pensée de Rousseau

Dans les *Confessions*, Rousseau se donne une tâche suffisamment lourde en voulant mettre au jour tout ce qui, dans sa vie privée ou publique, a été déformé ou laissé jusque-là dans l'ombre : c'est dire qu'il suppose connus de ses lecteurs les ouvrages de lui qu'il mentionne, et plus encore le climat intellectuel où ils prennent place.

Le lecteur d'aujourd'hui ne fait qu'entrevoir, par exemple, pourquoi chaque livre de Rousseau a éclaté comme une bombe quand il est paru dans le public ; il devine seulement, à travers les *Confessions*, les linéaments de ce que Rousseau philosophe appelle son « grand système ». Nous en donnons ici une vue d'ensemble, en pensant particulièrement au public des élèves qui désire faire le lien entre les extraits de textes « philosophiques » de Rousseau étudiés en classe et une lecture personnelle des *Confessions*.

Nous ne suivrons pas point par point la biographie de l'auteur : ce serait déjà analyser les *Confessions* (cf. chapitre 2, *Analyse des « Confessions »*). Nous ne préciserons que quelques événements essentiels, quand l'aventure de l'œuvre est vraiment indissociable des vicissitudes de l'homme.

Quelques mots seulement pour présenter Rousseau à l'aube de sa célébrité : il n'a écrit que quelques poésies de circonstance, un petit mémoire sur l'éducation, mais il a lu, beaucoup lu. Il s'est fait seul une culture : c'est un autodidacte. Il a fréquenté les auteurs latins et grecs, il s'est enivré de leur rhétorique ; il a dévoré les romans psychologiques et galants du XVIIe siècle finissant ; il a goûté les poésies d'un certain

M. de Voltaire qui relèvent l'esprit d'une pointe d'insolence. Il se croit et se veut musicien : mais la belle société parisienne reconnaît sans empressement ses talents.

Il vit assez pauvrement à Paris, capitale intellectuelle de l'Europe, en ce milieu du XVIIIe siècle que l'on appelle *Siècle des Lumières.* Les Lumières, ce sont ces penseurs, français pour la plupart, qui font confiance à la lumière de la Raison pour éclairer les principes de la conduite humaine ; ces Montesquieu, Voltaire déjà célèbres, ces Condillac, Diderot, d'Holbach, d'Alembert bientôt célèbres, qui rendent un culte au progrès et à l'esprit libéré des préjugés.

LES FONDEMENTS DU SYSTÈME : CRITIQUE DE LA VIE SOCIALE (1750-1758)

• C'est par le *Discours sur les Sciences et les Arts,* qui remporte en 1750 le prix de l'Académie de Dijon, que Rousseau accède soudain à la célébrité. Le *Discours* soutient un paradoxe provocateur : il démontre que les sciences et les arts - synonymes de culture et de civilisation - ont corrompu la moralité originelle. Les peuples fidèles à l'ignorance primitive ont conservé la vertu et le bonheur, tandis que les sociétés cultivées les ont perdus. Par là Rousseau prend le contrepied des idées répandues par la philosophie du XVIIIe siècle. Les « Lumières » ont foi en un progrès continu et simultané de la technique, de la raison et de la morale ; elles réhabilitent l'art, la culture et le luxe, objets légitimes de consommation pour l'homme « éclairé ».

Cette petite brochure, en forme de dissertation, met en effervescence l'Europe cultivée : tous les beaux esprits rêvent de polémiquer avec cet inconnu si illustre. Le roi de Pologne lui-même ne dédaigne pas de réfuter Rousseau !

• Dans le *Discours sur l'origine de l'inégalité parmi les hommes* (1755) Rousseau approfondit son intuition fondamentale : l'homme est né pour le bonheur et la vertu, la vie sociale l'a corrompu et rendu misérable. Expliquer comment, dans l'histoire de l'homme, s'est effectué ce passage, telle est l'ambition de ce second *Discours*. Il met en scène, à l'origine de l'histoire humaine, un homme seul, limité dans ses besoins, vivant en autarcie, ne souffrant donc pas de l'inégalité naturelle (physique) qui le distingue de tel ou tel de ses congénères. La nécessité de s'associer pour se protéger des calamités naturelles crée des groupes humains réduits : âge d'or, « véritable jeunesse du monde », rêve l'écrivain, où chaque cellule familiale était indépendante, où chaque membre de la cellule ignorait la haine ou l'envie.

Avec l'apparition des techniques (métallurgie) naît la spécialisation des travailleurs, donc la dépendance : à « l'homme de la nature » succède « l'homme de l'homme ». Il commence d'y avoir des exploiteurs et des exploités. L'étape décisive est l'invention de *l'idée de propriété* par les plus puissants : ils imposent ainsi à ceux qui n'ont rien de souscrire à une caricature de contrat social, qu'ils donnent pour légitime et nécessaire à la paix, mais qui consolide en fait leurs avantages, et relève de l'imposture et de l'esprit d'exploitation.

Cette année-là, Rousseau ne reçut pas le prix de l'Académie de Dijon... Le public avait-il saisi la portée subversive du *Discours* ? Voltaire en tout cas ne voulut y lire, à tort, qu'une apologie du retour à l'état sauvage : « Il prend envie de marcher à quatre pattes quand on lit votre ouvrage », écrivit-il à Rousseau. Mais, au siècle suivant, le philosophe Hegel puis Marx tireront du texte de Rousseau le concept fondamental d'*aliénation* de l'homme par la société : ils salueront en Rousseau le grand précurseur qui a montré comment l'homme a été victime des conquêtes mêmes de l'humanité.

- *Rousseau et les Encyclopédistes :*
  la « Lettre à d'Alembert sur les spectacles » (1758)

L'élite de la pensée française participe, en ce milieu de siècle, à la grande tâche de rédaction de l'*Encyclopédie*. Cet immense dictionnaire, en vulgarisant les connaissances dans tous les domaines, doit célébrer les progrès de l'esprit humain, dus principalement à l'essor scientifique. Les articles se veulent pédagogiques et montrent à tout propos comment l'homme moderne doit s'affranchir des préjugés. Diderot est l'âme de l'entreprise : il s'assure le concours d'un mathématicien comme d'Alembert, d'un naturaliste comme Buffon, d'un écrivain prestigieux comme Voltaire, d'un poète comme Saint-Lambert, d'un médecin comme Tronchin. Nous allons retrouver tous ces noms dans le récit des *Confessions* (Livres VII à X surtout). Ajoutons-y celui de Grimm : il sera beaucoup question de cet ami des Encyclopédistes, chroniqueur intellectuel et mondain, rédacteur de la *Correspondance littéraire,* bulletin de l'actualité intellectuelle de Paris, à l'usage de quelques têtes couronnées de l'Europe. Il semble que ce personnage susceptible et vaniteux n'ait rien épargné à Rousseau pour lui nuire, dès avant leur brouille « officielle ».

Rousseau associe Grimm, Diderot et d'Holbach, philosophe matérialiste, dans ce qu'il appelle péjorativement, du nom de d'Holbach, « la coterie holbachique » : ce petit clan sera rendu responsable de tous ses maux par l'écrivain ; nous verrons, le moment venu, quels ont été les torts respectifs.

Rousseau fut quelque temps l'ami des Encyclopédistes, de Diderot surtout (Livres VII et VIII). Il rédigea les articles de l'*Encyclopédie* relatifs à la musique. Mais les bonnes relations ne durèrent pas. L'article « Genève », rédigé par d'Alembert, allait déclencher une vive réaction de Rousseau, puis une gigantesque polémique. D'Alembert regrettait l'absence de théâtre à Genève et proposait d'en établir un. Rousseau lui réplique par une lettre ouverte, publiée sous le titre de *Lettre à d'Alembert sur les spectacles :* il y dénonce le théâtre comme le divertissement d'une société corrompue et mensongère ; l'introduire à Genève serait fatal à cette petite République vertueuse et encore saine ! En quelques pages célèbres, il démontre que le théâtre comique, en particulier, n'a pas, comme le prétend Molière, « une grande vertu de correction », car il ridiculise trop souvent la recherche intransigeante du vrai (Alceste dans *Le Misanthrope*).

Bien des conservateurs suivirent Rousseau dans sa condamnation du théâtre ; la poursuite de l'*Encyclopédie* fut retardée, puis menacée ; d'Alembert et Voltaire parlèrent de démissionner. En fait, par-delà l'anecdote, Rousseau n'avait fait qu'aller au bout de la logique de son système. Avec la *Lettre sur les spectacles* il achève de se mettre en opposition avec les « philosophes » de son temps : foi dans le progrès, sociabilité naturelle de l'homme, bienfaits de la culture, autant de « dogmes » qu'il a dénoncés violemment. Il lui faut maintenant élaborer son propre système sur des valeurs positives.

LE SYSTÈME : UN BONHEUR NOUVEAU, UN ÉTAT NOUVEAU, UNE ÉDUCATION NOUVELLE (1758-1762)

Retiré à l'Hermitage, dans le domaine de Mme d'Épinay, puis dans une petite maison de Montmorency, sous la protection du maréchal de Luxembourg, Rousseau, en moins de quatre ans, va élaborer les trois œuvres majeures de son système. Sous une forme romanesque, *La Nouvelle Héloïse* propose un idéal de bonheur nouveau dans son siècle, fondé sur le retour à la nature et la pratique de la vertu dans le cadre domestique ; sous la forme d'un traité politique, le *Contrat Social* jette les bases théoriques de la démocratie ; l'*Émile* définit une éducation nouvelle, destinée à former l'homme nouveau en qui la nature et la culture ne se contrarieront pas.

- *Nature, vertu et bonheur réconciliés :*
  « *La Nouvelle Héloïse* »

Rompant avec une tradition du XVIIIe siècle, qui remplissait le roman de péripéties extraordinaires et d'une multitude de personnages, Rousseau a voulu, dans *La Nouvelle Héloïse*, proposer des événements communs mais des êtres d'élite. C'est un roman par lettres, composé de six livres, comprenant deux parties symétriques : les trois premiers livres tracent l'histoire de la passion amoureuse qui entraîne Julie et Saint-Preux, les deux héros. Mais l'obstacle social s'oppose à la légitimation de leur amour : Julie d'Étanges est noble, Saint-Preux précepteur et roturier (à bien des égards, Rousseau se peint à travers Saint-Preux). Julie sera mariée par la volonté de son père à M. de Wolmar, un noble russe, après avoir songé à désobéir et à fuir, puis s'être résignée avec le secours de la foi. La seconde partie, séparée de la première par un silence de six années, pendant lesquelles Saint-Preux a fait le tour du monde, raconte la vie quotidienne que mènent à Clarens, petit village suisse au bord du lac Léman, Saint-Preux, Wolmar et Julie, devenue Mme de Wolmar : elle a avoué à son mari son amour ancien, mais Wolmar, confiant en la fidélité de sa femme, a reçu Saint-Preux dans son foyer. Les deux anciens amants surmontent la tentation et vivent leur passion sur un mode épuré et sublimé. L'aspiration au bonheur s'est pour eux harmonisée avec la voix de la conscience morale : la passion et la vertu semblent réconciliées. La mort de Julie, qui ressemble fort à un suicide destiné à repousser la tentation de l'adultère, empreint toutefois d'une ambiguïté mystérieuse la leçon du livre.

Dans ce roman total, Rousseau traite déjà en philosophe de bien des questions qui lui seront à cœur : famille, éducation, morale, inégalité sociale. La religion, de caractère affectif, est vécue par Julie comme un réconfort moral et la voix de Dieu s'identifie avec la voix de la conscience personnelle, comme bientôt dans l'*Émile.* Le thème du bonheur domestique est illustré par l'existence champêtre, vouée à des tâches saines et utiles, de la petite communauté familiale de Clarens. Avec cette microsociété romanesque, rustique et vertueuse, mais d'une extrême délicatesse morale, Rousseau voulait offrir à ses lecteurs un contre-exemple nouveau et séduisant à la perversion des grandes cités. Le roman connut un succès extraordinaire : retour à la nature, goût de la vertu et du pathétisme moral, religiosité émotionnelle, toutes ces tendances diffuses d'une époque se reconnurent soudain dans *La Nouvelle Héloïse.* Ce sont là les composantes de ce mouvement que l'on appellera plus tard le Préromantisme.

Mais comment transposer, au plan de l'État, cet idéal de bonheur dans la coopération et la pratique de la vertu ? Le *Contrat Social* va répondre à cette question.

- *Une théorie de la démocratie : le « Contrat Social »*

Dans le *Discours sur l'origine de l'inégalité* Rousseau a déjà dénoncé le contrat d'imposture qui fonde la tyrannie des puissants : un tel contrat n'assure ni le bonheur ni la liberté de chacun, mais seulement les privilèges de quelques-uns. Un authentique contrat social exige que tous les gouvernés acceptent l'autorité des gouvernants. Or, qui sont les gouvernés ? le peuple, répond Rousseau. Quels doivent être les gouvernants ? le peuple, répond-il encore, posant le principe de la démocratie. Le peuple est « souverain », il fait et défait les lois, et confie à un exécutif le soin de les appliquer (un Prince ou un Conseil). De son côté, chaque citoyen passe avec tous les autres une sorte de « contrat » par lequel il accepte d'abdiquer sa volonté particulière au profit de la « volonté générale », qui se confond avec la volonté de la majorité. Le citoyen garantit et limite du même coup sa liberté : « L'obéissance à la loi qu'on s'est prescrite est liberté. » L'idéal que présente Rousseau est toutefois celui d'une « démocratie pure » où chaque citoyen peut participer à la prise de décision collective et faire sienne, intimement, la « volonté générale ». Mais dans un État important, pourvu d'une assemblée législative élue, par quelle magie la volonté de chacun s'identifierait-elle réellement à la « volonté générale » ? Plus gravement, Rousseau n'a guère conçu l'existence légitime d'une « minorité » ou d'une « opposition ». Danton et Robespierre se réclameront du « grand Rousseau » pour justifier la dictature du Comité de Salut Public : on mesure là l'ambiguïté possible des thèses du *Contrat Social*. Il reste que le concept établi par Rousseau de souveraineté « inaliénable » et « indivisible » du peuple aura profondément guidé l'histoire de la Révolution Française.

Mais on ne peut, dans l'esprit de Rousseau, imaginer de véritable démocratie sans réforme morale du citoyen : il faut lui apprendre l'égalité des droits et des devoirs, le respect de la liberté d'autrui, le goût de la modération et des mœurs simples. Il faut, très tôt, « préparer l'enfant au règne de sa liberté ». L'*Émile* va nous faire suivre les étapes de cet apprentissage.

- *Vers un homme nouveau : une éducation nouvelle,
  l'« Émile »*

Au principe de l'éducation idéale de ce jeune garçon, que Rousseau prénomme Émile, on ne sera pas étonné de trouver le souci de protéger l'enfant contre l'influence pernicieuse de la civilisation. Émile sera élevé à la campagne loin de la société, des livres, de sa famille même. Le pédagogue fera confiance à l'influence du milieu naturel ; l'enfant découvrira tout par lui-même et en lui-même. La tâche du maître consistera à susciter les rencontres avec les objets naturels et à suggérer les leçons à tirer d'expériences vécues. Diriger la spontanéité, tout en sachant la respecter : tel est le délicat principe d'une pédagogie que Rousseau appelait « inactive » (se plaçant du point de vue du maître), et qui inspirera les méthodes modernes de la pédagogie dite « active » (du point de vue de l'enfant). « Laissez mûrir l'enfance dans les enfants » : ce mot célèbre de Rousseau appelle un épanouissement heureux de l'être physique, moral et intellectuel, le contraire d'un dressage. Mais il faut former aussi un travailleur et un citoyen : Émile apprendra un métier manuel ; il sera un menuisier aux mœurs honnêtes, un citoyen réfléchi, pénétré de l'idée de l'égalité nécessaire entre les hommes et de leur coopération. L'éducation s'achève par et dans l'apprentissage de la démocratie.

Bien des contemporains résolurent d'élever leurs enfants d'après les principes de l'*Émile* ; le duc de Wurtemberg lui-même entretint avec Rousseau une correspondance à ce sujet ! Mais pouvait-on concevoir un homme nouveau en dehors d'une société nouvelle ? Il est significatif que le livre se termine sur le mode romanesque, en replaçant Émile et Sophie, sa jeune épouse, dans une petite société idyllique et sentimentale, protégée du monde tel qu'il est.

ROUSSEAU SEUL CONTRE TOUS :
L'ÉCRIVAIN ET LES POUVOIRS (1762-1765)

La publication du *Contrat Social* et de l'*Émile* pouvait-elle être tolérée sous une monarchie de droit divin ? Sous l'Ancien Régime, nous dit Michèle Duchet[1], « il faut pour être publié une autorisation d'imprimer, soit par privilège royal, soit par permission tacite, soit par permission plus ou moins clandestine. Il convient que l'ouvrage soit orthodoxe, ou du moins modéré. Les livres hétérodoxes obtiennent de plus en plus souvent au cours du siècle une permission clandestine qui laisse à l'imprimeur la responsabilité de publier, quitte à le prévenir si des poursuites sont engagées (...). L'ennemi principal pour le Pouvoir reste le matérialisme, qui s'en prend à la Religion et donc à la Royauté de droit divin ». Il existe aussi des subterfuges : publier à l'étranger (Genève, Londres, Amsterdam) ou anonymement (Montesquieu n'a pas signé *L'Esprit des Lois* ni Voltaire le *Dictionnaire Philosophique*). La menace reste toujours suspendue sur la personne physique des auteurs réputés subversifs : Diderot a été un moment incarcéré à Vincennes (cf. Livre VIII), Voltaire a connu plusieurs fois l'arrestation et l'ordre d'exil.

Rousseau bénéficie de la protection d'amis haut placés (cf. Livre XI) : le maréchal de Luxembourg, le prince de Conti, et surtout M. de Malesherbes qui est précisément à cette époque (1750-1763) directeur de la Librairie (nous dirions : secrétaire d'État à la presse, au livre, et... à la censure). Cet esprit libéral, favorable aux philosophes, essaiera jusqu'au bout de sauver l'*Émile* et le *Contrat Social* de la condamnation du Parlement. Quant au duc de Choiseul, qui joue dans ces années (1758-1770) le rôle d'un premier ministre, il n'a pas été, contrairement à ce qu'échafaude Rousseau, l'instigateur d'une machination contre l'écrivain : favorable lui aussi aux

---

1. M. Duchet, in *Le Magazine Littéraire*, n° 183, « L'intellectuel et le pouvoir ».

idées nouvelles, ennemi des Jésuites, il n'a pu cependant empêcher que le scandale arrive.

• Le scandale de l'« Émile » : les théories du Vicaire savoyard

Le livre IV de l'*Émile* contient une soixantaine de pages intitulées « *Profession de foi du Vicaire savoyard* » : par la bouche de ce jeune prêtre tolérant et simple, Rousseau développe ses idées religieuses. Il s'y fait le prophète, sinon d'une religion nouvelle, du moins d'une nouvelle conception d'un Dieu chrétien assez singulier. Il rejette l'idée d'une Révélation par l'enseignement du Christ, la foi aux miracles, la soumission aux dogmes du catholicisme. Le Vicaire s'en tiendra à l'adoration d'un « Être suprême », inconnaissable et indéfinissable, mais dont la Nature entière suggère l'existence. Pour le fond, cette profession de foi est proche du déisme de Voltaire : mais elle l'enracine dans une intuition presque sentimentale, et place au-dessus de tout la voix de la conscience morale personnelle identifiée à la voix de Dieu. Sa nouveauté est de concilier les élans mystiques et les impératifs de la Raison.

Ces pages causèrent un immense scandale dans le public. Rousseau, moitié par inconscience, moitié par orgueil, n'avait pas consenti à garder l'anonymat en publiant l'*Émile* : l'Église, le parti religieux, et en général tous les ennemis des idées nouvelles réclamèrent la condamnation de l'*Émile,* comme contenant « des choses très hardies contre la Religion et le Gouvernement ». De leur côté, les Encyclopédistes ne sont guère prêts à soutenir Rousseau : autant qu'aux dévots, le Vicaire savoyard s'en est pris violemment aux matérialistes athées (comme Diderot, d'Holbach ou Helvétius) qui nient le sentiment divin, quel qu'il soit. Rousseau est donc seul contre tous. Le Parlement de Paris, renchérissant sur la vague réactionnaire, condamne l'*Émile* et le *Contrat Social* à être lacérés et brûlés publiquement et délivre un « décret de prise de corps » (= un mandat d'arrestation) à l'encontre de leur auteur. Rousseau doit s'exiler précipitamment en Suisse.

• *Les premières œuvres de défense*

Réfugié à Yverdon, puis à Motiers-Travers, Rousseau se défend contre les accusations d'impiété lancées contre lui par l'archevêque de Paris en lui répliquant par sa *Lettre à Christophe de Beaumont* (1763) ; contre les catholiques, il croit pouvoir se tourner vers les protestants de Genève, dont pourtant Voltaire entretient l'hostilité à son égard : avec eux il s'enferre dans de complexes justifications théologiques, développées dans ses *Lettres de la Montagne* (1764). Mais ni Genève, ni Neuchâtel, ni Berne ne lui prêtent plus de refuge ; il doit passer en Angleterre (1765) et y accepter l'hospitalité du philosophe David Hume.

UNE LONGUE JUSTIFICATION :
ŒUVRES AUTOBIOGRAPHIQUES (1765-1776)

Un événement décisif est cependant intervenu dans les derniers mois passés en Suisse : un libelle anonyme, intitulé *Le Sentiment des Citoyens*, a circulé dans Genève ; Voltaire, qui en est l'auteur, y met en doute, en termes violents et injurieux, la sincérité religieuse de Rousseau. Surtout, il révèle l'abandon par celui-ci de ses cinq enfants aux Enfants-Trouvés (= Assistance publique). L'autobiographie va naître d'un besoin de justification : Rousseau va tenter de détruire, par le récit de sa vie telle qu'elle fut, cette fausse image de lui que ses ennemis présentent au public.

Il faudra approfondir (cf. chapitre 4) le sens de ces *Confessions* (1765-1770) rédigées partie en Angleterre, partie en France, à Gisors, chez le prince de Conti, puis à Monquin, dans le Dauphiné, où Rousseau s'isole dix-huit mois dans une ferme de la montagne. Brouillé à mort avec David Hume et à peu près tous les écrivains et philosophes de Paris, en butte à l'hostilité, sinon à la persécution comme il le croit, de tous ses anciens amis, il conçoit la seconde partie des *Confessions*, plus encore que la première, comme une véritable défense et illustration de sa personnalité authentique.

Après l'interdiction de lire en public les *Confessions*, Rousseau n'a plus qu'à essayer de se justifier une ultime fois en organisant par écrit son procès et sa réhabilitation devant la postérité et devant Dieu ! Tel est l'objet des trois *Dialogues* intitulés *Rousseau, juge de Jean-Jacques* (1772-1776).

Les *Rêveries du Promeneur solitaire* (1776-1778) mettent à l'œuvre de Rousseau un point final d'apaisement et de résignation. Il vit pauvre et oublié des « méchants » qu'il veut à son tour oublier. Dans ses promenades aux environs de Paris, il jouit, sans plus d'amertume, d'une solitude qui autorise la communion avec la nature, les joies les plus humbles et le retour des souvenirs heureux les plus lointains ; le voilà délivré de l'obsession de soi, dans une fusion mystique avec l'univers.

LIVRE I

De sa naissance à seize ans ;
Genève - Bossey (village des environs) - Genève

Né en 1712 dans une famille d'artisans genevois, protestants imbus de vertus civiques, Jean-Jacques perd sa mère à la naissance. Il est élevé jusqu'à dix ans par son père, esprit fantasque qui lui communique l'amour des romans, et par sa tante Suzon à qui il doit sa passion pour le chant et la musique. Contraint de s'exiler à la suite d'une rixe, son père le place en pension à la campagne chez le pasteur Lambercier et sa sœur, à Bossey. De dix à douze ans il y vit une période de bonheur fait d'innocence enfantine, de communication confiante avec ses proches, de liberté au sein de la nature. Deux événements viennent à la fin ternir cet âge d'or : une fessée infligée par Mlle Lambercier marque l'apparition d'un plaisir pré-sexuel que l'enfant ressent en coupable ; ce premier trouble déterminera la sexualité à tendance masochiste de l'adulte. D'autre part, une accusation injuste portée contre Jean-Jacques, à propos d'un peigne cassé, lui fait brutalement prendre conscience de l'injustice et du mensonge propres à la vie sociale.

De retour à Genève, il poursuit chez son oncle son instruction désordonnée, puis est mis en apprentissage chez un graveur, à l'âge de quinze ans. Celui-ci le traite avec brutalité et l'adolescent contracte les vices de tous les tyrannisés : mensonge, vol, fainéantise. La lecture fébrile de romans remplis d'aventures et de galanteries constitue une compensation imaginaire à sa misère. Un soir, rentré trop tard d'une promenade

dominicale, il trouve fermées les portes de Genève : à l'idée
d'être battu par son maître, il préfère la fuite sur les grands
chemins.

LIVRE II

Jean-Jacques à seize ans ; Annecy - Turin

Jean-Jacques, ivre de liberté, passe la frontière du royaume
de Piémont-Savoie, pays catholique jouxtant le territoire
de Genève. Un curé bienveillant, M. de Pontverre, le dirige
vers Annecy en le recommandant à une Mme de Warens qui
accueille les jeunes gens désireux de se convertir au catholicisme. La rencontre avec Mme de Warens, qui unit pour Jean-
Jacques les prestiges de la mère protectrice et de la femme
aimée, lui laissera une impression ineffaçable. Trois jours plus
tard, il est envoyé par elle à Turin, capitale du Piémont-
Savoie, dans un hospice qui recueille les candidats à la conver-
sion. Il y passe quelques jours misérables, qui lui découvrent
l'hypocrisie de ses condisciples et de ses maîtres. Converti par
nécessité, il erre sans le sou dans Turin, avant d'être employé
dans la boutique de la douce Mme Basile : mais la jalousie du
mari mettra fin à ces moments de grâce. Le voici laquais chez
Mme de Vercellis, qui reconnaît sa valeur malgré les préjugés
de l'entourage. L'écrivain rapporte alors le vol d'un ruban,
qu'il commit dans cette maison, et l'accusation qu'il porta,
pour se disculper, sur une jeune et innocente servante,
Marion : il affirme que le remords l'en a toujours poursuivi.

LIVRE III

Seize à dix-huit ans ; Turin - Annecy - Lyon - Annecy

Jean-Jacques passe au service du comte de Gouvon, noble turi-
nois. Le fils de la maison, l'abbé de Gouvon, approfondit son
instruction en lui enseignant le latin : on pense à faire de lui le
secrétaire d'un diplomate. Mais Jean-Jacques préfère la liberté
et, sur un coup de tête, suit sur la route des Alpes le jeune
Bâcle, adolescent aventureux. Revenu à Annecy, il s'installe

chez Mme de Warens : il est « Petit », elle devient pour lui
« Maman ». Premier tableau de la vie de Jean-Jacques chez
« Maman » : musique, lectures désordonnées, gaîté affec-
tueuse, insouciance du lendemain. Après un bref et infruc-
tueux séjour au Séminaire, il est placé par « Maman » sous la
coupe de M. Le Maître, chef de chœur : c'est l'époque charmante où Jean-Jacques découvre le chant et la flûte, et s'en-
goue pour M. Venture, musicien de talent et aventurier. Sous
l'injonction de « Maman », il accompagne à Lyon M. Le
Maître, mais l'y abandonne lâchement pour revenir à Annecy
auprès de sa protectrice.

LIVRE IV

Dix-huit à vingt ans ; Annecy - Fribourg - Lausanne - Neuchâtel -
Berne - Soleure - Paris - Lyon - Chambéry, tous voyages faits à
pied !

Mais Mme de Warens, pour des raisons mystérieuses, a quitté
Annecy pour Paris ! Jean-Jacques paresse un moment à Annecy, sous l'influence de M. Venture. Une idylle paraît
s'ébaucher avec Mlles de Galley et Graffenried (journée de la
cueillette des cerises à Thônes) interrompue par le départ pour
Fribourg : Jean-Jacques est le chaperon de voyage de la jeune
servante fribourgeoise Merceret. Sur le chemin du retour, il
tente sa chance à Lausanne où il s'improvise compositeur et
chef d'orchestre : la supercherie tourne à sa plus grande
confusion.

L'hiver de ses dix-neuf ans se passe à Neuchâtel où il vivote
grâce à des leçons de solfège. Au printemps, il reprend la
route : le voici interprète d'un faux moine grec, prétendant
quêter pour le Saint-Sépulcre. Après avoir réussi à Berne,
l'imposteur est démasqué à Soleure. Jean-Jacques attendrit
l'ambassadeur de France, M. de Bonac, qui le dirige vers
Paris. Il compte y devenir précepteur. Mais déçu dans ses
espérances, il regagne Lyon en musardant et y vit de quelques
expédients, en attendant de rejoindre Chambéry où « Maman », apprend-il, est désormais installée.

LIVRE V

Jean-Jacques se fixe durablement auprès de « Maman », dans « une vie aussi simple que douce ». Employé au cadastre de Chambéry, il n'en approfondit pas moins ses connaissances musicales, compose quelques cantates, dirige de petits concerts, fréquente l'aristocratie locale (M. de Conzié), enseigne la musique aux jeunes filles nobles.

On apprend que « Maman » s'est donnée à lui, par bonté plus que par amour : Jean-Jacques ne trouve pas le bonheur dans cette satisfaction des sens. L'écrivain trace ici un portrait nuancé de « Maman », où il la disculpe de toute accusation de légèreté, loue sa morale généreuse et le charme de sa spontanéité. Il présente comme un exemple d'entente et de confiance les rapports qui ont uni Jean-Jacques, « Maman » et Claude Anet ; ce dernier, valet et amant de Mme de Warens, disparu prématurément, demeure un personnage assez énigmatique.

LIVRE VI

Ce livre recoupe partiellement la période narrée dans le Livre V : les souvenirs heureux se sont cristallisés autour d'un lieu, les Charmettes, nom d'un vallon proche de Chambéry, où deux ou trois étés de suite « Maman » loua une ferme et des prés. L'écrivain célèbre la douceur de la vie commune avec « Maman », l'innocence d'une affection mutuelle, qui relègue au second plan une sexualité dont on ne nous dit presque rien. La proximité de la nature et les consolations d'une religion apaisante excluent l'angoisse. Jean-Jacques se donne, avec méthode et passion à la fois, une culture encyclopédique : histoire, géographie, latin, philosophie, chimie, astronomie. Se croyant atteint d'une maladie de cœur, il part se faire soigner à

Montpellier, où il séjournera cinq mois : il rencontrera en chemin Mme de Larnage avec qui il vivra quelques journées d'amour voluptueux. Au retour de Montpellier, il trouve un rival installé chez « Maman » en la personne de Wintzenried : longs mois de solitude et d'exclusion pour Jean-Jacques. A vingt-huit ans, il part pour Lyon où il sera un an le précepteur des enfants de M. de Mably : c'est un échec. Le revoici quelques mois aux Charmettes, le temps de mettre au point un projet de nouvelle notation musicale dont il espère tirer gloire et fortune à Paris.

LIVRE VII

Vingt-neuf à trente-sept ans ; Paris - Venise (un an) - Paris

Son projet de notation musicale ne rencontrant que les encouragements polis de l'Académie des sciences, Jean-Jacques doit vivre de leçons de musique. Il fait toutefois la connaissance de Marivaux, Condillac, Fontenelle et surtout Diderot, avec qui il se lie très vite d'amitié. Mme de Broglie lui procure une place de secrétaire d'ambassade à Venise. Mais son ambassadeur, M. de Montaigu, est un aristocrate incapable et méprisant : Jean-Jacques, farouchement susceptible, jaloux des égards dus à son nouveau rang, ne tarde pas à se brouiller avec lui. Congédié, il va concevoir une rancœur de plébéien envers un ordre social qui privilégie la naissance aux dépens du talent.

De retour à Paris, il est contraint d'assurer sa subsistance en se mettant au service de riches protecteurs : il est le secrétaire et le maître de musique des Dupin, des La Poplinière, des Épinay, richissimes financiers qui jouent les mécènes. Il remanie une comédie-ballet de Voltaire et Rameau, les *Fêtes de Ramire*, mais son travail reste anonyme : nouvelle déception.

Il s'attache à Thérèse Levasseur, fille dévouée mais simple et ignorante, qui lui donnera cinq enfants : l'écrivain justifie péniblement leur abandon en invoquant les mœurs légères du temps, sa pauvreté, l'absence d'une vraie famille.

LIVRE VIII

Trente-sept à quarante-quatre ans ; Paris - un séjour à Genève

Jean-Jacques fait la connaissance de Grimm, dont « l'amitié » lui sera si funeste. Il se rapproche de Diderot et des Encyclopédistes. Sur la route de Vincennes, il a « l'illumination » de son système, c'est-à-dire l'intuition de ce qui va devenir le *Discours sur les Sciences et les Arts*. L'immense succès du *Discours*, et le tapage fait autour de sa personne, décident Jean-Jacques à procéder à sa « réforme » : il quitte l'habit des riches (perruque, épée, montre et bas blancs), ferme sa porte, et se fait copiste de musique. Dans la fièvre d'une nouvelle inspiration, il compose *Le Devin de village*, opéra qui triomphe devant le Roi : Jean-Jacques, dévoré d'orgueil et de timidité, assiste à la représentation, mais refuse une pension du Roi. Il publie le *Discours sur l'origine de l'inégalité* ; il fait un séjour à Genève, où il abjure le catholicisme et songe à se retirer. L'installation de Voltaire, aux portes de la ville, l'en dissuade. Pour échapper aux mondanités de Paris, il accepte l'hospitalité de Mme d'Épinay à l'Hermitage, petite maison dépendant du domaine de La Chevrette, dans la forêt de Montmorency.

LIVRE IX

Quarante-quatre - quarante-cinq ans ;
dix-huit mois à l'Hermitage près de Montmorency

L'Hermitage aurait pu être pour Jean-Jacques de secondes Charmettes : la proximité de la nature, la quasi-solitude, la liberté d'étudier et d'écrire pouvaient le combler. Déjà il met en chantier ses grands ouvrages : le *Contrat Social*, *La Nouvelle Héloïse*, l'*Émile*.

Mais l'amitié avec Mme d'Épinay se mue en dépendance tyrannique ; les manigances de ses « amis » parisiens (Grimm, d'Holbach, Diderot), qui s'insinuent dans sa vie privée par l'intermédiaire de la mère de Thérèse Levasseur, empoisonnent sa solitude. Trois crises, suivies d'illusoires réconciliations, mettent aux prises Jean-Jacques et ses amis, devenus

insensiblement ses adversaires : les escarmouches épistolaires
(« journée des cinq lettres ») avec Mme d'Épinay sont suivies
d'un raccommodement embarrassé ; pour un mot mal interpré-
té, l'orage gronde avec Diderot ; la série des vexations infli-
gées par Grimm n'est close que par une fausse réconciliation,
qui n'est pour Jean-Jacques qu'une humiliation supplémentaire.

Arrive la crise ultime d'où sort le dénouement. Jean-Jacques
est victime d'une sorte de chantage : s'il n'accompagne pas
Mme d'Épinay à Genève, il justifiera les accusations d'ingratitude et de misanthropie que portent contre lui ses adversaires.
Mais, pressentant qu'on veut lui faire jouer un rôle assez
trouble auprès de Mme d'Épinay, il refuse. Le piège se ferme
alors sur lui : de Genève, Mme d'Épinay congédie son ex-
protégé ; Grimm jette le masque dans une lettre où éclate sa
haine. A Paris, et dans sa patrie de Genève, se met en place
« un obscur et profond système » de calomnies à l'encontre de
Jean-Jacques.

En contrepoint, le Livre IX retrace, d'une façon souvent
allusive ou arrangée, les amours de Jean-Jacques et de la jeune
comtesse Sophie d'Houdetot : Jean-Jacques retrouve et aime
d'abord en Sophie l'image de l'héroïne, Julie, qu'il vient de
créer dans l'ébauche du roman qui deviendra *La Nouvelle
Héloïse*. Mais la jeune femme est elle-même la maîtresse de
Saint-Lambert, auquel elle entend demeurer fidèle ! Prisonnier
d'un dilemme sublime entre sa passion et l'appel de la vertu,
Jean-Jacques, en renonçant à Sophie, réussit à en sortir moralement victorieux, mais en fait très seul et déprimé.

LIVRE X

Quarante-cinq à quarante-sept ans ; Montmorency

Retiré dans une petite maison du village de Montmorency,
Jean-Jacques, très affaibli par une maladie de la vessie, poursuit cependant la rédaction de l'*Émile* et du *Contrat Social*. Il
indispose les Encyclopédistes par sa *Lettre à d'Alembert sur les
spectacles* et soupçonne de plus en plus, sans preuves formelles,
la « coterie holbachique » et Mme d'Épinay de susciter un

réseau d'hostilités qui l'encercle et l'isole. Dans son isolement, il n'en est pas moins accueilli et fêté par le maréchal et la maréchale de Luxembourg : il accepte un moment leur hospitalité, dans une charmante demeure dépendant du château de Montmorency. Il vit à la fois en solitaire et en mondain. Il s'attire, comme malgré lui, l'amitié des grands du royaume : le duc de Villeroy, Mme de Boufflers, et surtout le prince de Conti. M. de Malesherbes, directeur de la Librairie, encourage et protège la publication de ses œuvres. Des amitiés aussi prestigieuses favorisent chez Jean-Jacques un mouvement de défiance, dû à son extrême susceptibilité, et quelques traces de vanité que ses ennemis ont beau jeu de relever.

LIVRE XI

Quarante-sept à quarante-neuf ans ; Montmorency

La Nouvelle Héloïse paraît et connaît un succès sans précédent dans l'histoire du roman. Mais, au milieu de cette gloire, Jean-Jacques guette quelques signes défavorables, annonciateurs de la catastrophe proche. L'amitié de Mme de Luxembourg semble un peu refroidie, le duc de Choiseul lui paraît hostile, Mme de Pompadour a peut-être été irritée par une allusion de *La Nouvelle Héloïse...* Tout est pour Jean-Jacques sujet à interprétation, tout devient signe hostile, rétrospectivement. Les lenteurs de publication de l'*Émile* déclenchent chez lui des angoisses à allure délirante : il imagine un complot de Jésuites contre son livre et sa personne, puis une ligue des Jansénistes favorisée par d'Alembert ! L'ouvrage paraît et les grondements du scandale se font entendre : on parle de brûler le livre, d'emprisonner l'auteur. L'aveuglement de Jean-Jacques devant l'évidence du scandale et ses causes véritables l'entraîne à afficher une insouciance provocatrice, qui embarrasse ses amis, attachés à le défendre. Malgré les efforts de Malesherbes, du maréchal de Luxembourg et du prince de Conti, Jean-Jacques est décrété de « prise de corps » : averti quelques heures à l'avance par ses protecteurs, il échappe à l'arrestation en s'exilant en Suisse.

LIVRE XII

Jean-Jacques demeure quelque temps à Yverdon, d'où il est contraint de s'exiler à nouveau pour s'installer dix-huit mois dans le bourg de Motiers, en Val-Travers, territoire du roi de Prusse rattaché à Neuchâtel.

Il se lie affectueusement avec le gouverneur Keith, surnommé « Milord Maréchal » ; il voudrait retrouver la simplicité anonyme d'une vie villageoise. Il lui est accordé par le pasteur Montmollin de participer à l'office protestant et de communier. Il reçoit des visites et des lettres de toute l'Europe : on sollicite de lui des conseils moraux ou pédagogiques ; tel ou tel désire le prendre comme directeur de conscience.

Entre-temps, il a été interdit de séjour à Genève et ses livres y ont été brûlés : il réplique à ses adversaires genevois, excités par Voltaire, avec ses *Lettres de la Montagne*, pleines de subtiles justifications théologiques. Mais, après sa brouille avec les pasteurs, Jean-Jacques est victime d'une émeute villageoise à Motiers : sa maison est lapidée par la foule, excitée souterrainement par les pasteurs du lieu. On le désigne comme l'Antéchrist.

Il se réfugie alors dans l'île Saint-Pierre, sur le lac de Bienne, territoire relevant du Sénat de Berne : il y découvre la jouissance d'un exil consenti, une sorte de prison innocente et heureuse. Chassé, au bout de six semaines, par les Sénateurs de Berne, délogé à nouveau de la petite ville de Bienne, il projette de gagner Berlin, mais se laisse tenter par les propositions de ses amis qui lui offrent de passer en Angleterre et d'accepter l'hospitalité du philosophe Hume.

Thèmes pour un portrait $\boxed{3}$

A l'aide des orientations thématiques qui sont ici dessinées, vous aurez sans doute une vue d'ensemble sur ce vaste portrait en mouvement de Jean-Jacques que sont les *Confessions*. Nous pénétrons au cœur du livre, et les frontières que nous avons tracées sont évidemment fluides. Amour et bonheur, amour et exaltation imaginaire, nature et solitude interfèrent souvent dans l'univers rousseauiste. L'explication orale ou écrite d'un texte de Rousseau vous conduirait à découvrir le réseau, chaque fois nouveau, de ces thèmes complémentaires.

BONHEUR ET INNOCENCE

Pourquoi lier ces deux termes, bonheur et innocence, et ne pas traiter tout simplement le thème du bonheur dans les *Confessions* ? La réponse se trouve dans le Livre I : le modèle du bonheur, sous sa forme la plus pure, est dans l'enfance, et l'enfance elle-même est l'époque de l'innocence, c'est-à-dire l'époque de l'ignorance du mal.

Ce bonheur enfantin était pour Jean-Jacques essentiellement affectif ; le verbe aimer, au sens encore vaste et indistinct, s'y conjuguait à toutes les personnes. « J'aimais, j'étais aimé, nous nous aimions tous » et, ajoute Rousseau, « je voyais tout le monde content de moi et de toutes choses ». L'affection qui lie Jean-Jacques à son cousin Bernard et à la famille Lambercier (I, p. 42-43) est exemplaire : ni rapports de force, ni mensonge, ni honte ne la ternissent. Rousseau peint le temps de son enfance comme un Age d'Or pareil à celui qui précède, dans son second *Discours*, les dégradations de l'homme social.

La microsociété protégée des Lambercier a offert un moment l'image d'un monde moralement pur, où les arrière-pensées n'existaient pas, qui a toujours hanté Rousseau. Tel est le bonheur originel d'avant le Mal que le vieil écrivain place à l'aube de sa vie.

C'est alors qu'interviennent deux épisodes célèbres - l'histoire de la fessée, et celle du peigne cassé - dont il importe de bien saisir la portée symbolique. Avec la fessée infligée par Mlle Lambercier, Jean-Jacques découvre à la fois le désir et le sentiment de culpabilité attaché à son désir. L'éden de l'innocence primitive est soudain très loin, remplacé par le monde de la Faute. Deuxième étape : à propos d'une accusation injuste relative à un peigne cassé, l'enfant comprend que le sentiment intime de l'innocence peut lui-même ne servir de rien, face au verdict injuste des autres, image de la Société. Voici dès lors la disparition de tous les bienfaits de l'Age d'Or : les vices corrompent l'innocence des deux cousins, « enlaidissent » leurs jeux, la crainte des accusations mutuelles s'installe.

On dirait que Rousseau écrit l'histoire du bonheur perdu de sa jeunesse comme une sorte de fable[1] : l'enfance de l'humanité et l'enfance de Jean-Jacques sont des époques quasi mythiques de bonheur innocent que les contraintes de la vie de société (nécessité de dissimuler son désir, de mentir, d'affronter l'injustice) sont venues briser.

• *Bonheur et nostalgie*

Dans la suite des *Confessions,* la recherche du bonheur est indissociable d'un mouvement de nostalgie : notre héros est toujours en quête d'un refuge dont l'innocent paradis des années enfantines lui a montré l'image. Aux Charmettes (Livre VI), Jean-Jacques est redevenu « tout à fait l'enfant » de « Maman » : il y retrouve l'innocence première, faite de confiance réciproque ; il vaque librement à ses occupations (menus travaux domestiques, promenades, lectures) dans une

1. Il convient sur ce point de se reporter aux analyses lumineuses de J. Starobinsky, dans *J.-J. Rousseau. La transparence et l'obstacle,* chap. I (voir Bibliographie, p. 77).

sorte de sphère affective dont « Maman » est le centre rayonnant : la page d'ouverture du Livre VI évoque admirablement la permanence diffuse du sentiment d'être heureux, c'est-à-dire aimé, que le moindre objet, la moindre occupation réfracte. La notion de mal n'a plus cours : dans ce nouvel éden, l'animal ne craint plus l'homme, Jean-Jacques devient l'ami des colombes et des abeilles (p. 298, p. 305).

A l'Hermitage de Montmorency (Livre IX), Rousseau espère encore recréer de secondes Charmettes. Mais il n'en connaîtra que l'image affaiblie et vite dénaturée par la tyrannie de ses hôtes. A l'Ile Saint-Pierre (Livre XII), si propice à l'oisiveté vagabonde, passera peut-être un ultime reflet des matinées lumineuses aux Charmettes. Rousseau nous affirme qu'il aurait trouvé le bonheur dans cette petite île du lac de Bienne s'il lui avait été permis d'y demeurer seul avec ses livres, ses herbiers et ses rêveries. Le thème du refuge, et particulièrement du refuge dans la nature, est intimement lié à celui du bonheur rousseauiste (voir la fin de ce chapitre, p. 43). Mais Jean-Jacques est toujours chassé du refuge, et le bonheur ne s'offre nostalgiquement à lui que dans l'imaginaire, sous les traits d'un paradis perdu.

LES POUVOIRS DE L'IMAGINAIRE

C'est peu de dire que l'imaginaire tient une grande place dans la psychologie de Rousseau : en fait, il le soutient, il lui permet de vivre différemment par procuration ; Jean-Jacques se livre à lui comme à une maîtresse impérieuse et ingouvernable. Étudier les pouvoirs de l'imaginaire chez Jean-Jacques revient presque à remonter aux principes moteurs de son psychisme.

• *La lecture comme drogue*

Dès l'enfance, tout est joué ; Jean-Jacques a absorbé le philtre magique : il a lu. Il a lu les romans qu'a laissés sa mère disparue, et tous ses premiers souvenirs, c'est-à-dire la première image consciente de son « moi », s'enracinent dans l'imaginaire : « J'ignore ce que je fis jusqu'à cinq ou six ans ; je ne sais comment j'appris à lire ; je ne me souviens que de mes premières lectures et de leur effet sur moi : c'est le temps d'où je date sans interruption la conscience de moi-même » (I, p. 36). Plongé dans l'imaginaire romanesque, l'enfant oublie l'espace et le temps (les lectures nocturnes avec le père, p. 37). Jean-Jacques lit aussi les historiens de Rome et de la Grèce, Plutarque en particulier (p. 37) et s'identifie aux héros : « Je me croyais Grec ou Romain ; je devenais le personnage dont je lisais la vie. » Plus tard, pour Rousseau, le souvenir des lectures antiques et héroïques se confondra avec celui de la vertueuse Genève de son enfance : l'exaltation, dans le premier *Discours,* de la rude vertu du Romain de la République dérive de ce noyau imaginaire.

Cet appétit de lecture devient « passion », « folie », lorsque Jean-Jacques, en apprentissage chez un graveur, trouve là un dédommagement imaginaire à sa condition misérable (I, p. 74). L'écrivain marque de son adolescence sensible et malheureuse « l'origine et la première cause » d'une insatisfaction face au réel (I, p. 75) : ce cœur « trop affectueux, trop aimant, trop tendre », « faute d'en trouver qui lui ressemblent est forcé de s'alimenter de fictions ». Ces aspirations adolescentes d'un cœur sensible et insatisfait de la médiocrité du réel préfigurent celles du René de Chateaubriand ; quant à la nostalgie des grands hommes de Plutarque, ressentie par l'adolescent en quête d'innocence dans une société corrompue, nous la retrouvons chez le Lorenzaccio de Musset.

• *« Folies »* et *« extravagances »*

« Caprice », « étrangeté », « bizarrerie », « folie », « extravagance », Rousseau use à plaisir de ces termes vagues et forts, qui soulignent l'irrationalité foncière de son tempérament, dont la rupture et la discontinuité sont les lois. Les décisions de sa jeunesse surtout obéissent aux injonctions intimes d'une imagination enfiévrée.

Tout commence, sous l'apparence la plus anodine, par la série des engouements : pour le jeune Bâcle à Turin (III,

p. 142), pour M. Venture à Annecy (III, p. 173), pour un moine grec, qui est charlatan (IV, p. 205). Par-delà ces figures occasionnelles, c'est l'aventure de «l'ailleurs» et de la grand-route qui séduisent l'imaginatif. Les départs brusqués, si fréquents chez le jeune Jean-Jacques, sont liés à la toute-puissance d'une lubie : ici l'idée de colporter, avec son ami Bâcle, un jouet merveilleux (III, p. 45), là le plan d'une nouvelle notation musicale (IV, p. 342) font entrevoir de chimériques projets de fortune.

Plus étrange, on notera le goût du déguisement et de la mystification : pour se tirer d'une vilaine affaire, l'adolescent se prétend «un jeune étranger de grande naissance, dont le cerveau s'était dérangé» (III, p. 131); à Lausanne, il se fera passer pour compositeur alors qu'il solfie à peine (IV, p. 197); sur la route de Montpellier, il devient un riche Anglais du nom de Dudding (VI, p. 316). «Tout se passe comme si le vœu profond de son arrière-pensée fût de changer sa vie, de s'aliéner tout entier par une espèce de coup de force», analyse M. Raymond[1]. Nous rencontrons là l'obsession majeure de Rousseau, qui fait de lui un être complexe et fascinant : il veut acquérir une identité «selon son cœur», fût-ce par les voies de l'imaginaire. De cette obsession, la première partie des *Confessions* ne présente encore que l'aspect ludique et, croit l'écrivain, tout innocent.

- «*Magie blanche*» et «*magie noire*»

Ce double titre, qui définit les deux aspects antithétiques de l'imagination du Jean-Jacques de la maturité, est emprunté à l'excellent petit ouvrage de Georges May, que nous saisissons l'occasion de recommander[2]. L'imagination rousseauiste est magie blanche, c'est-à-dire bénéfique, en ce qu'elle permet à l'écrivain de recréer, dans ses rêves devenus livres, un monde «selon son cœur»; elle est magie noire, c'est-à-dire maléfique,

1. M. Raymond, *J.-J. Rousseau, la quête de soi et la rêverie*, éd. José Corti, 1962, p. 21.
2. G. May, *Rousseau*, coll. Écrivains de toujours, éd. du Seuil, 1961, p. 117.

quand elle l'entraîne aux angoisses et aux délires qui empoisonnent sa vie.

- Assurément tous les grands ouvrages de Rousseau sont les produits de la magie blanche : le premier *Discours* jaillit d'une inspiration quasi prophétique, et l'inspiré griffonne en hâte le discours qu'il prête au Romain Fabricius, pareil à un spirite qui entendrait une voix (VIII, p. 94-95) ; les airs du *Devin de village* ont été composés lors des nuits sans sommeil dans un jardin de Passy (VIII, p. 121) ; mentionnons enfin, pour ne pas tout citer, la méthode d'élaboration de *La Nouvelle Héloïse* : Jean-Jacques est seul à Montmorency et son cœur est vide ; il imagine deux amies, un amant, une maison près d'un lac, une atmosphère de délicatesse morale ; rien de plus, pas de plan, pas de règles ; les personnages commencent à échanger des lettres, l'écrivain étant maître dans l'art de s'identifier à des personnages successifs : l'occasion est offerte de « donner ainsi l'essor (...) au désir d'aimer, que je n'avais pu satisfaire, et dont je me sentais dévoré » (IX, p. 185). On remarque ici le même processus d'investissement du « moi » dans la fiction que lors des lectures enfantines ; les lecteurs de *La Nouvelle Héloïse*, à leur tour, oublieront l'espace et le temps réels (cf. anecdote de la princesse de Talmont, XI, p. 315). Le roman est ainsi pour Rousseau une fiction magique qui envoûte le créateur et le lecteur.

- L'imagination noire est présente dans la seconde partie des *Confessions* : sa forme extrême en est le délire de persécution, que beaucoup ont cru diagnostiquer chez Rousseau ; d'autres soutiennent que l'écrivain n'a qu'amplifié mentalement une persécution très réelle. Sur ce point encore, nous vous renvoyons au chapitre 6 pour un éclairage, « objectif » si faire se peut, sur les dits et les faits. Restons ici sur le plan du pur fonctionnement de l'imaginaire, et, en nous abstenant de juger, tirons deux lois du texte même des *Confessions*. A l'occasion des lenteurs de l'impression de l'*Émile* (XI, p. 336), Rousseau s'affole, se voit déjà victime d'un horrible complot manigancé par les Jésuites ; il ne sait strictement rien des

causes du retard, mais apprend incidemment qu'un jésuite a
« parlé » de l'*Émile* : « A l'instant mon imagination part
comme un éclair, et me dévoile tout le mystère d'iniquité : j'en
vis la marche aussi clairement, aussi sûrement que si elle m'eût
été révélée » (p. 337). Un fait insignifiant ne fait donc que servir de point d'appui, ou de catalyseur, à une angoisse qui se
manifeste par d'infinies spéculations imaginaires. Seconde
loi, conséquence directe de celle-ci : quand l'angoisse ou le
soupçon sont durablement installés chez Jean-Jacques, tout
devient signe pour lui, tout est soumis à la manie d'interprétation : un bref malentendu avec Mme de Luxembourg (X,
p. 296) et la voilà suspecte de trahison envers Jean-Jacques ; le
chien de Rousseau s'appelait « Duc » : c'est assez pour avoir
attiré à l'auteur de l'*Émile* la haine de tous les ducs... et du duc
de Choiseul ! (XI, p. 326). Toute une suite d'anecdotes de
cette nature, au fil des derniers Livres, montrent que nous
sommes entrés dans « l'univers morbide de l'interprétateur[1] ».

DE L'AMOUR

Pour le jeune Rousseau, élevé dans le puritanisme genevois,
l'intuition des réalités et des prestiges de l'amour passe par la
médiation de la littérature romanesque : encore une fois, c'est
à travers l'imaginaire que le réel est pressenti, en l'occurrence à
travers ces romans galants qu'une loueuse de livres assez
louche fournit à l'adolescent solitaire (I, p. 74).

Est-il dès lors étonnant que les figures de femmes réelles se
révèlent aussi séduisantes à l'imagination que décevantes à la
découverte ? Elles sont nombreuses pourtant, au fil des
Confessions, à avoir été aimées ou simplement dignes d'être
aimées : songeons seulement, pour les plus célèbres, à Mme de
Warens, Mlle Galley, Mme de Larnage, Mme d'Houdetot.
Avec aucune d'elles néanmoins, et pour des raisons diverses,

---

1. J. Starobinsky, *J.-J. Rousseau. La transparence et l'obstacle*, p. 242 (voir Bibliographie, p. 77).

Rousseau n'a connu le bonheur stable qui suppose une égale réciprocité des cœurs et des sens. Il semble pour lui l'imagination anticipée de l'amour, l'amour de l'amour en somme, a plus de prix que la possession elle-même...

L'histoire personnelle de Jean-Jacques peut-elle nous éclairer sur sa psychologie amoureuse ?

• Une double polarité amoureuse

L'écrivain fait remonter très haut dans son passé l'origine de son « mal-être » amoureux. Dès le Livre I, il se montre, non sans humour, jeune adolescent partagé entre « deux sortes d'amours très distincts, très réels, et qui n'ont presque rien de commun, quoique très vifs l'un et l'autre » (p. 58) : Mlle de Vulson et Mlle Goton incarnent l'une et l'autre tendance. Pour Mlle de Vulson, l'amour de Jean-Jacques est romanesque, enflammé, héroïque, mais les sens interviennent peu ; la « petite Mlle Goton » qui joue avec lui à la « maîtresse d'école » et inflige quelques châtiments, le trouble singulièrement. Cette Mlle Goton nous renvoie elle-même à Mlle Lambercier, qui, administrant une fessée à son jeune protégé, a associé chez lui la naissance du désir à des fantasmes masochistes (p. 46). La psychologie amoureuse de Jean-Jacques sera donc gouvernée par une double polarité : amour tendre, affiché, exaltant mais platonique d'un côté, désir bref et violent de l'autre, avec éléments inavouables. C'est pourquoi, tout au long des *Confessions,* l'on voit l'univers féminin se partager, avec moins de crudité bien sûr que précédemment, mais selon de troublantes symétries : aux femmes douces et maternelles s'opposent les sensuelles et les entreprenantes, aux blondes sages, les brunes piquantes, comme le note Georges May. A la timide Mlle Galley répond l'entreprenante Mlle de Graffenried, à la tendre mais froide Mme de Warens la voluptueuse Mme de Larnage, à la chaste et ingénue Mlle de Menthon la vive Mlle de Mellarède, brune plus délurée.

On dirait que pour Jean-Jacques le désir et la tendresse ne peuvent guère se réunir à l'égard de la femme, qu'ils se nuisent mutuellement. Seule Sophie d'Houdetot, présentée par l'écrivain comme un exemple unique, a pu susciter la passion du cœur et des sens : mais cet amour, pour des raisons morales, est demeuré inaccompli. Il fournit donc une preuve d'épanouissement très ambiguë.

- **Jean-Jacques et « Maman » : les charmes de l'ambiguïté**

Cette étrange psychologie amoureuse a entraîné Jean-Jacques dans des relations difficiles avec les femmes aimées, notamment Mme de Warens : le tact de l'écrivain a sauvé ces pages délicates du ridicule ou de la vulgarité. D'une situation ambiguë et singulière entre « Maman » et « Petit », il tire un récit plein d'ingéniosité psychologique, jouant du charme de la suggestion et du demi-dévoilement. « Maman », par dévouement plus que par passion, a résolu d'initier Jean-Jacques aux réalités de l'amour : mais celui-ci découvre que la possession n'est pas le bonheur ; l'expérience sexuelle est vécue comme une sorte d'inceste et d'avilissement (V, p. 255). Bientôt la maladie lui servira de prétexte pour se réfugier dans la solitude et éluder la sexualité. C'est pourquoi, malgré les nobles motifs dont il le pare, c'est presque un soulagement que Jean-Jacques manifeste quand l'entrée en scène de Wintzenried comme amant de Mme de Warens lui permet de se cantonner dans le rôle d'enfant et de confident de sa protectrice (p. 333) : « Non, Maman, lui dis-je avec transport, je vous aime trop pour vous avilir ; votre possession m'est trop chère pour la partager. »

En fait, il y aura toujours chez Rousseau cette frayeur de la chair liée à un tempérament inhibé, et probablement à une angoisse puritaine de la faute : la scène de « fiasco » avec Zulietta, la courtisane de Venise, est à lire dans ce sens (VII, p. 60). On comprend alors que l'écrivain détaille comme une revanche (VI, p. 314-324) l'épisode des brèves amours avec Mme de Larnage, qui, par son attitude audacieuse, lève les inhibitions de Jean-Jacques et lui enseigne la volupté.

• Sophie d'Houdetot et la passion romanesque

L'amour de Jean-Jacques pour Sophie d'Houdetot, dont le récit occupe une part du Livre IX, contenait à l'origine toutes les promesses de bonheur : la réalité semblait avoir rejoint le rêve. Julie, l'héroïne de *La Nouvelle Héloïse*, revit en Sophie : « Je vis ma Julie en madame d'Houdetot, et bientôt je ne vis plus que madame d'Houdetot, mais revêtue de toutes les perfections dont je venais d'orner l'idole de mon cœur » (p. 195). Mais le poète Saint-Lambert est déjà l'amant de Sophie, et l'ami de Jean-Jacques. Celui-ci se met donc en devoir de prouver simultanément à Sophie l'ardeur de sa passion dans de sublimes déclarations, et la force de sa vertu en ne devenant pas son amant ! (p. 200). On peut se demander si cette attitude, ambiguë une nouvelle fois, n'est pas un masque inconscient de timidité, une variante de l'inhibition fondamentale, dotée d'un paravent de vertu (trop) sublime. Le rôle auquel aspire finalement Rousseau est celui de confident des deux amants, de médiateur spirituel entre Sophie et Saint-Lambert (IX, p. 239) ; déjà, rappelons-nous, entre « Maman » et Claude Anet, et surtout entre « Maman » et Wintzenried, Jean-Jacques se voulait le tiers mi-amant, mi-enfant, sommet d'un « triangle », vers qui convergent les affections. Mais c'est seulement dans la seconde partie de *La Nouvelle Héloïse*, écrite après l'aventure avec Sophie, que s'affirme sur le mode romanesque et sublimé la fascination du trio sur Jean-Jacques : le couple « spirituel » Saint-Preux - Julie est le complémentaire du couple légitime, « selon la chair », Wolmar - Julie. Le roman accomplit l'étrange équilibre du désir que la vie n'avait pu qu'ébaucher.

LA SOLITUDE

Jean-Jacques adolescent possédait un tempérament solitaire : il s'est enfui seul de Genève, il a fait seul ses grands voyages à pied, il s'est longtemps réfugié dans son petit cabinet de travail des Charmettes, il était très isolé au début de son séjour parisien.

Son séjour à Venise, en qualité de secrétaire d'ambassade (Livre VII), fait figure d'intermède exceptionnel au milieu de la longue suite de ses malentendus avec la société : à Venise, il en a imposé par son ton décidé (VII, p. 46) ; il s'est essayé à de flatteuses mises en scène de son autorité (p. 40). En butte aux vexations de son ambassadeur, il a préféré se retirer avec éclat de peur d'être congédié comme un laquais (p. 50). Ce plébéien intelligent et susceptible rentre à Paris, plein de rancœur à l'égard des aristocrates incapables. Désormais son unique ambition est de «percer», de primer, de briller par ses talents de compositeur ou de littérateur. En 1750, avec le *Discours sur les Sciences et les Arts* la gloire fond sur lui ; en 1751 : coup de théâtre, Jean-Jacques ferme sa porte, se fait copiste de musique. Il choisit la solitude : elle deviendra sa marque, son originalité, plus tard un signe de valeur suprême. Mais pourquoi, à l'aube de sa carrière, ce retrait du monde ?

• *Pourquoi Rousseau a-t-il choisi la solitude ?*

Au Livre VIII l'écrivain précise que son choix de la vie solitaire lui a été dicté par des impératifs moraux : en quittant l'habit des riches (l'épée, la montre, les bas blancs), en prenant un métier humble et solitaire, en refusant les visites et les cadeaux des mondains, il entend supprimer tout écart entre son mode de vie personnel et les thèses de son *Discours*. Ce qu'il nomme ainsi sa «réforme» procède donc d'une volonté de cohérence morale : il ne peut y avoir un Rousseau qui dénonce la corruption propre à la vie littéraire et mondaine, et un Jean-Jacques qui, privément, jouirait de tous les agréments de ce Siècle de Louis XV. Il refuse la duplicité qui consiste, du moment où l'on est devenu auteur - même, et surtout, subversif - à rentrer dans le circuit social de l'opinion et de la mondanité. Il tient à se démarquer des Encyclopédistes et autres « philosophes », qu'il accuse de critiquer verbalement une société dont ils sont les parasites effectifs.

Avec la rédaction du *Discours sur l'origine de l'inégalité* (1755), Rousseau entrevoit une justification plus positive de son choix : il a médité son *Discours* dans la solitude de la forêt de Saint-Germain (VIII, p. 136); il a découvert, précisément, que la sociabilité n'était pas fondamentalement naturelle. La solitude de Jean-Jacques sera une sorte de retour aux sources de la vérité naturelle ; elle lui permettra, à l'Hermitage par exemple, d'écrire sans se soucier des exigences de la mode ou des succès de librairie (IX, p. 153). Le *Contrat Social* et l'*Émile* seront l'œuvre d'un homme qui, *par le détour de la solitude,* retrouve et exprime la *loi morale universelle,* bien différente des lois truquées d'une société frelatée. Pour Rousseau, la parole d'un homme seul, mais sain, contient plus de vérité objective que le consensus d'une société malade. Son système désormais exige la solitude de l'écrivain, et la solitude à son tour permet d'approfondir le système.

• *Les contradictions d'un solitaire*

Dans la pratique pourtant ce parti pris radical rencontre bien des obstacles : l'histoire des malentendus du solitaire avec la société est une partie constitutive du mythe même du solitaire ! Quand on a commencé à devenir célèbre, on augmente sa célébrité à vouloir vivre caché : « L'état que j'avais pris excitait la curiosité ; l'on voulait connaître cet homme bizarre qui ne recherchait personne, et ne se souciait de rien que de vivre libre et heureux à sa manière : c'en était assez pour qu'il ne le pût point » (VIII, p. 112).

Ainsi se forme la chaîne des malentendus qui parcourt toute la seconde partie des *Confessions* : dans sa chambre de Paris, Jean-Jacques reçoit des visites contre son gré et on le traite de « malotru » quand il refuse les cadeaux (VIII, p. 112); il se réfugie à l'Hermitage chez Mme d'Épinay, mais celle-ci, avec

Diderot et Grimm, l'implique de force dans des intrigues mondaines (Livre IX); le maréchal de Luxembourg, la marquise de Verdelin le supplient presque de quitter son «donjon» de Mont-Louis pour se joindre à leur société (Livre X). Dans tous les cas, s'il accepte, il sera taxé de contradiction, et s'il refuse, de misanthropie, d'ingratitude : telle est l'inconséquence du jugement public (pour reprendre le titre d'un conte de Diderot) que les actions particulières d'un individu sont toujours mal interprétées par autrui, qui en ignore les motifs véritables.

On peut se demander si ce n'est pas souvent par aveuglement, ou même par complaisance, que Rousseau tombe dans de telles contradictions : à chaque lecteur d'apprécier la complexité subtile de ses justifications ! Il est par exemple bien utopique de s'imaginer définitivement indépendant lorsqu'on est logé, par les soins d'un financier, dans une maisonnette de son domaine. Bien singulier ermite, qui s'en va composer des cantates pour le maître du château, au jour de sa fête (IX, p. 222)! On a remarqué, parfois malignement, qu'à mesure qu'il se veut plus seul, le rang des protecteurs de Jean-Jacques s'élève : d'abord Mme Dupin, et pour finir le maréchal de Luxembourg et un prince du sang, le prince de Conti, s'intéressent à lui. On discerne aussi chez lui une secrète attirance pour cela même qu'il condamne : la fête mondaine, par exemple. Relisez la scène merveilleuse où triomphe devant le Roi le *Devin de village*, opéra de Jean-Jacques Rousseau (VIII, p. 123-127) : il règne en lui la honte d'être reconnu et la volonté d'être applaudi, le plaisir de provoquer la Cour par son accoutrement plébéien et celui de la faire sangloter d'émotion par sa musique ; pour finir, un mélange de crainte et d'envie à l'idée de recevoir une pension, qu'il refusera d'ailleurs.

- ● *La singularité comme valeur*

On peut légitimement se retrancher d'une société que l'on juge malsaine ; mais on peut aussi être amené insensiblement à croire que, parce que l'on est seul, on a toujours et nécessairement raison contre tous ; que la solitude est un brevet de bonté, de sincérité, d'innocence. C'est ce qui s'est passé avec Jean-Jacques. Il en vient à se persuader qu'il est un être essentiellement différent des autres, et qu'on le persécute précisément parce qu'il est singulier.

Mais la volonté d'être seul ne procède-t-elle pas d'un désir premier de se singulariser, d'exalter comme une valeur et une vertu sa différence ? Dans une première ébauche des *Confessions*, connue sous le titre de *Mon Portrait*, Rousseau notait déjà : « Je ne me soucie point d'être remarqué, mais quand on me remarque, je ne suis pas fâché que ce soit d'une manière un peu distinguée, et j'aimerais mieux être oublié de tout le genre humain que regardé comme un homme ordinaire. » Isolons-nous donc du genre humain, pour être regardé comme un homme extraordinaire...

Au fil des derniers livres des *Confessions*, on voit Rousseau s'installer dans les divers rôles possibles du marginal supérieur et exclu : avec la condamnation de l'*Émile* il est le martyr de la vérité, trop heureux, dit-il, « d'être appelé à l'honneur de souffrir pour la vérité » (XI, p. 351) ; à Motiers-Travers, il se veut villageois parmi les villageois, mais il se distingue par son habit fourré d'Arménien et ses étranges occupations : tresser des lacets au seuil de sa maison, par exemple (XII, p. 376) ; surtout il se peint comme le prophète persécuté de la vérité religieuse : on le désigne comme l'Antéchrist et il est menacé de lapidation dans les chemins (XII, p. 406). En fait, c'est plutôt à la lapidation du juste Étienne, dans les Actes des Apôtres, qu'il voudrait, sans le dire, que pense son lecteur. Enfin, dès Motiers-Travers, et dans ses différents exils, il devient un mage à qui, de l'Europe entière, on demande conseils, lettres, entrevues ; ce génie farouche et solitaire ne cessera pas d'attirer les pèlerins et les dévots de son culte.

Chassé de Motiers, le solitaire s'apprête à entrer, à l'île Saint-Pierre, dans son rôle le plus pathétique : prisonnier volontaire, et perpétuel, d'un îlot. Le Sénat de Berne n'accède pas à sa demande, mais Jean-Jacques a découvert là un apaisement qui préfigure celui des *Rêveries du promeneur solitaire*.

Sa vérité, son bonheur, c'était, ç'aurait dû toujours être, la solitude oisive dans la nature. Avant d'aborder cette révélation, il est temps de nous demander quels ont été les visages de la nature dans l'histoire de Jean-Jacques.

LES VISAGES DE LA NATURE

Le charme de la nature est pour Rousseau directement lié aux sentiments et aux rêveries qu'elle suscite. Ce ne sont pas la sauvagerie ou la virginité de la nature en tant que telles qui le fascinent, mais les émotions ou les intuitions qui face à elle envahissent le cœur de l'homme. Cette attitude est caractéristique du Préromantisme, dont Rousseau est en France la figure majeure ; les Romantiques hériteront de cette tendance à établir des correspondances entre un paysage naturel et un état d'âme : de même que les bords du Léman et les montagnes du Valais invitent les héros de *La Nouvelle Héloïse* à la paix vertueuse, de même la vallée de l'Indre, alanguie mais frémissante, sera l'image même de Mme de Mortsauf dans *Le lys dans la vallée* de Balzac.

● *La nature comme théâtre de la rêverie*

Écoutons Jean-Jacques nous raconter son premier grand voyage à pied, d'Annecy à Turin : « Dans les maisons j'imaginais des festins rustiques ; dans les prés, de folâtres jeux ; le long des eaux, les bains, des promenades, la pêche ; sur les arbres, des fruits délicieux ; sous leur ombre, de voluptueux tête-à-tête ; sur les montagnes, des cuves de lait et de crème, une oisiveté charmante, la paix, la simplicité, le plaisir d'aller sans savoir où » (II, p. 94). La nature sert de décor à un théâtre imaginaire, elle devient pour l'adolescent le support d'une fantasmagorie sensuelle et idyllique à la fois. N'oublions pas que Jean-Jacques a été grand lecteur de *L'Astrée,* roman d'Honoré d'Urfé (1619), qui idéalise la vie rustique, transfigurée en pastorale galante peuplée de bergers et de bergères au cœur amoureux et compliqué. Le roman est censé prendre place dans la plaine du Forez, près de Lyon. Précisément, dans l'un de ses voyages de jeunesse, Jean-Jacques est attiré par l'idée de parcourir le Forez, mais s'en détourne finalement (IV, p. 218) : on l'a prévenu qu'il y rencontrerait des maîtres de forge plutôt que des bergères galantes. Belle ambiguïté de l'amour de la nature chez Jean-Jacques ! La nature n'est-elle ici pas assez naturelle pour lui, ou pas assez littéraire ?

Quand il s'enfonce dans les bosquets et les chemins de la forêt de Montmorency, c'est un retour imaginaire vers les campagnes de son enfance qu'il effectue : sa mémoire le ramène vers le pays de Vaud, les vignes, les tonnelles qui bordent le lac Léman. Les personnages de sa *Nouvelle Héloïse* surgissent, comme par génération spontanée, de ces beaux lieux naturels et irréels à la fois. La nature apparaît, pour le Jean-Jacques de la maturité, comme une atmosphère mi-physique mi-spirituelle, un environnement, pas trop évanescent, mais pas obsédant non plus, dont les éléments modifient insensiblement les humeurs et les rêves de l'homme. C'est l'époque où il projette d'écrire une *Morale sensitive* (IX, p. 160), c'est-à-dire un traité qui aurait expliqué comment les éléments naturels (le climat, le ciel, les vents, les odeurs, les paysages) peuvent modifier notre psychisme, prévenir ou guérir nos angoisses. Beaucoup de ces idées passeront dans l'*Émile*, qui accorde une si grande place à l'influence du milieu naturel dans l'éducation.

- ● *Spectacle de la nature et révélation divine*

Une gravure de l'époque représente le Vicaire savoyard, personnage de l'*Émile*, prenant à témoin, d'un geste plein d'éloquence, un vaste paysage alpestre, image même de la majesté de Dieu : « La nature étalait à nos yeux toute sa magnificence. » On sait que pour Rousseau (alias le Vicaire savoyard) la seule preuve de l'existence de Dieu, et partant, la seule communication de Dieu à l'homme, passe par l'intuition du cœur ; il rejette donc, comme autant d'intermédiaires inutiles entre Dieu et l'homme, les livres, les dogmes, les catéchismes, les Églises. Reste, au bout de cette épuration, la seule nature, cet intermédiaire transparent, où s'inscrit visiblement la majesté divine.

N'est-ce pas auprès de Mme de Warens que s'est noué chez Rousseau le lien indissoluble entre l'idée d'une religion consolante et la paix retrouvée au sein de la Nature ? «Maman» enseigne à Jean-Jacques un catholicisme sincère mais lénifiant ; elle débarrasse son âme des terreurs de la Faute et de la Mort (VI, p. 293). Cette foi nouvelle, aux accents si maternels, trouve des échos dans les extases de Jean-Jacques parmi les monts et les prés des Charmettes. Sa prière matinale se fait dans un verger ; elle est «sincère élévation de cœur à l'auteur de cette aimable nature dont les beautés étaient sous (ses) yeux» ; du reste, sa prière, ajoute-t-il, se passe «plus en admiration et en contemplation qu'en demandes» (VI, p. 301). Au sein de la nature, Dieu est senti comme infiniment proche par l'individu mais infiniment loin des morales et des dogmes imposés par l'Église ou la Société... Dans sa foi même, Rousseau veut redevenir un homme «naturel».

• La nature ou le refuge mythique

Goût de la solitude et amour de la nature sont, nous le savons, inséparables chez Rousseau. Sur ce plan, il existe une parfaite continuité entre Rousseau-philosophe et l'écrivain des *Confessions* ou des *Rêveries* : pour concevoir l'homme primitif, l'homme de la nature dont parle le *Discours sur l'origine de l'inégalité*, Rousseau s'avise qu'il n'est pas de meilleur moyen que d'explorer sa propre nature, solitaire et rêveuse. S'abandonner à la rêverie solitaire, c'est en effet, pour Jean-Jacques, retrouver la paix intérieure que l'homme civilisé a perdue. Le séjour de Rousseau à l'île Saint-Pierre (XII, p. 416-427) est le haut lieu de cette révélation. D'année en année, Rousseau avait médité un projet de «retraite absolue» : à l'Hermitage, puis dans son «donjon» de Montmorency, la passion de publier était cependant venue le reprendre, le précipitant chaque fois dans de nouveaux malheurs (condamnation de l'*Émile*, exil en Suisse). A l'île Saint-Pierre, Rousseau semble découvrir enfin quelles auraient dû toujours être les occupations du vrai Jean-Jacques : muser par les chemins, herboriser par plaisir désintéressé non par goût scientifique, participer à la cueillette des fruits, et surtout se livrer à la rêverie dans la nature pour retrouver, dans les profondeurs de la conscience de soi, le bonheur d'exister. Il faudrait lire, en contrepoint de ces pages, la Cinquième Promenade des *Rêveries*, qui ramène vers l'île Saint-Pierre la mémoire de l'écrivain.

Sept ans après le récit des *Confessions*, lui-même postérieur de cinq ans au séjour dans l'île, la *Rêverie* approfondit, dans un sens métaphysique, l'analyse de la jouissance du « sentiment de l'existence » : délivré de l'angoisse du temps, hypnotisé par l'insensible mouvement des eaux du lac, le rêveur « se suffit à soi-même, comme Dieu ». Bonheur, imaginaire, solitude, nature : les thèmes de notre analyse fusionnent dans ces dernières pages du dernier Livre des *Confessions* qui préfigurent les *Rêveries*.

Pourtant, jusqu'au bout, Rousseau n'aura renoncé ni à écrire ni à se justifier : la vie « oiseuse » dans la nature est pour l'écrivain un mythe personnel plus qu'une réalité vécue. A la limite, elle n'est peut-être qu'un idéal qu'il rejoint « sur les ailes de l'imagination », et qui, dans le souvenir et l'écriture du souvenir, l'aide à vivre la réalité[1].

---

1. Le thème de l'île est lié à ce mythe : dans *La Nouvelle Héloïse,* Saint-Preux croit retrouver à Clarens l'île de Ténian, non encore corrompue par la civilisation, qu'il a visitée dans le lointain Pacifique. Rousseau lui-même, dans le pavillon du parc de Montmorency, s'imagine transporté à Isola Bella, sur le lac Majeur (X, p. 286). Ces refuges insulaires hantent d'ailleurs la littérature du XVIIIᵉ siècle : ils sont les champs d'observation d'une « moralité » innocente et réputée « naturelle » (Diderot dans le *Supplément au voyage de Bougainville* (1772) oppose à nos conventions sociales la naturelle liberté de mœurs des Tahitiens).

Pourquoi Rousseau a-t-il écrit les « Confessions » ?

Les *Confessions* s'ouvrent sur un Avertissement au lecteur, que la première page du Livre I, préambule à l'ensemble de l'ouvrage, ne fait que prolonger.

L'auteur y précise pourquoi il a écrit l'histoire de sa vie, et adjure le lecteur de le lire jusqu'au bout, avec sérénité et objectivité. Or ce début fameux a suffi à faire refermer les *Confessions* à bien des lecteurs de bonne volonté, exaspérés par l'emphase du ton et la présomption d'un écrivain qui prétend que son cas est unique et que la postérité entière doit s'intéresser à sa personne. Le public a surtout été choqué par la mise en scène apocalyptique d'un Jean-Jacques comparaissant devant Dieu au Jugement Dernier en brandissant le manuscrit des *Confessions* comme un garant de vérité et de salut. Au lieu de laisser à Dieu le soin de le juger, cet étrange pécheur prend lui-même la parole et apostrophe ses semblables devant l'Être Suprême : «... et puis qu'un seul te dise, s'il l'ose : Je fus meilleur que cet homme-là. »

RÉPONDRE AU JUGEMENT PUBLIC

Nous, modernes, plus échaudés en matière de provocation littéraire, demandons-nous si Rousseau n'a pas été, dans ce début, victime de son goût excessif pour la rhétorique et la dramatisation. Allons même plus loin : au moyen de ces interpellations solennelles, quelle portée l'écrivain entendait-il donner à son projet ? Provocation, par son étymologie, fait référence au latin « vocare » : appeler. Quel est cet appel ? Il faut être attentif à la présence de certains termes, révélateurs de l'obsession de l'écrivain face à son public. « Juge », « juger », « jugement » en constituent la première série.

Rousseau se croit sans cesse jugé, et jugé à faux, par ses ennemis en raison de leur malveillance, et par le public qui leur emboîte le pas en ignorance de cause. De là sa hantise de la défiguration : le vrai caractère de Jean-Jacques a été « défiguré » (second mot clé du texte) par les calomnies répandues sur son compte.

Le mal, à ses yeux, vient de loin : à l'époque où il fréquentait les Encyclopédistes, les salons et madame d'Épinay (cf. Livres VIII et IX), sa conduite a été mal comprise par son entourage ; ses livres ont été interprétés à faux (cf. Voltaire et le *Discours sur l'origine de l'inégalité*) ou condamnés sans être compris (cf. la condamnation de l'*Émile,* Livre XI). Enfin, au Jour de l'An 1761, Voltaire a diffusé dans Genève un libelle anonyme, où, au milieu d'un flot de perfidies, il révèle que Rousseau a abandonné les cinq enfants qu'il a eus de Thérèse Levasseur. Dans son exil de Motiers, Rousseau ressent durement ce dernier coup : après avoir fait de lui un misanthrope et un maniaque, on le présente maintenant comme inhumain et lâche, ultime dénaturation de l'image de sa personne. Il songe un moment à tout nier, puis se ressaisit : oui, il avouera, il dira le mal dont il est l'auteur, en récapitulant même depuis l'enfance, et son cas sera enfin net.

Répliquer au libelle de Voltaire n'a pas été, comme on l'a longtemps cru, l'unique raison qui a poussé Rousseau à écrire ses *Confessions,* nous le verrons par la suite. Mais l'attaque a certainement joué le rôle de catalyseur. Elle a fourni, par la réaction qu'elle a suscitée, le principe directeur de l'autobiographie qui allait naître, sa visée morale la plus évidente : Rousseau entreprend d'écrire les *Confessions* pour rectifier l'opinion déformée que le public a de lui, pour instruire d'une façon enfin honnête et claire le dossier de son procès. Ce faisant, l'écrivain se place de lui-même en situation de suspect, et s'oblige à cette tâche jusqu'à lui inédite en littérature de dérouler tout son passé, de vouloir tout dire de peur d'être soupçonné de cacher quelque chose : « Dans l'entreprise que j'ai faite de me montrer tout entier au public, il faut que rien de moi ne lui reste obscur ou caché ; il faut que je me tienne incessamment sous ses yeux (...) ; qu'il ne me perde pas de vue un seul instant, de peur que, trouvant dans mon récit la moindre lacune, le moindre vide, et se demandant : Qu'a-t-il fait durant ce temps-là ? il ne m'accuse de n'avoir pas voulu tout dire » (II, p. 96).

QUELS AVEUX ET POURQUOI ?

Encore faut-il se demander ce que sont ces confessions, quelle place elles occupent dans le livre, et si elles méritent de lui donner son titre. Faisons donc le recensement de ces fameux aveux :

• *Premier aveu* (I, p. 46) : il a ressenti puis recherché dans sa vie (sous diverses formes) le plaisir masochiste, né de la fessée de mademoiselle Lambercier : Rousseau estime avoir fait là « le premier pas et le plus pénible dans le labyrinthe obscur et fangeux de (ses) confessions ».

• *Deuxième aveu* (II, p. 124) : il a volé un ruban chez madame de Vercellis, puis accusé mensongèrement de ce vol la jeune Marion.

• *Troisième aveu* (III, p. 177) : il a abandonné le vieux monsieur Le Maître, terrassé par une crise d'épilepsie dans une rue de Lyon : « Grâce au Ciel, j'ai fini ce troisième aveu pénible. S'il m'en restait beaucoup de pareils à faire, j'abandonnerais le travail que j'ai commencé. »

Ici semble s'achever la liste des aveux que Rousseau regarde comme des confessions proprement dites. On y joindra toutefois deux révélations importantes.

• *Quatrième aveu* (VIII, p. 100) : il a confié ses cinq enfants aux Enfants-Trouvés. C'est là une demi-confession en ce sens que Rousseau affirme que plusieurs amis étaient dans la confidence et qu'à l'époque il ne croyait pas devoir rougir de sa conduite.

• *Cinquième aveu* (VIII, p. 140) : il n'a pas tout quitté pour suivre madame de Warens qu'il a retrouvée seule et pauvre lors de son passage à Genève en 1754 : « De tous les remords que j'ai sentis en ma vie, voilà le plus vif et le plus permanent. »

DE LA CONFESSION A L'APOLOGIE

De ce petit tableau synthétique nous pouvons tirer quelques observations :

- *Ces fautes* apparaissent au lecteur objectif *très inégalement graves,* alors que Rousseau, par la solennité qui entoure chaque aveu, semble les situer sur le même plan. Ainsi l'accusation de Marion, même suivie des conséquences que Rousseau se plaît à imaginer quant aux futurs emplois de cette servante, demeure une faute de jeunesse isolée et non préméditée. L'abandon de ses enfants par un homme mûr, surtout cinq fois de suite, apparaît en revanche comme le plus grave des manquements.

On ne voit pas, à l'inverse, pourquoi Rousseau pense avoir commis un crime en ne suivant pas madame de Warens : son remords éternel ressemble plutôt à la nostalgie du bonheur impossible. Quant aux tendances masochistes nées de la fessée enfantine, nous les situerions sans doute sur un autre plan : être affecté d'une particularité psycho-physiologique de cette nature n'est pas en soi une faute morale.

- En fait, Rousseau *juge la gravité de sa faute au poids du remords* que l'acte lui a laissé, à la commotion morale qu'il a subie. C'est pourquoi il paraît dramatiser la portée d'une faute pardonnable (parce que le souvenir de Marion hante encore ses nuits) et minimiser une faute grave (parce que depuis longtemps il a accumulé les «bons arguments» pour apaiser sa conscience de père coupable).

- Il donne finalement à penser qu'en avouant il se décharge non seulement d'un remords, mais *de sa culpabilité même* : tout se passe comme si la confession entraînait automatiquement l'absolution, que le pénitent se donne à lui-même. Insensiblement, comme on le voit dans l'affaire de Marion, il glisse de l'aveu de son crime à son explication, parle de «l'allègement» de sa conscience, dû au seul fait qu'il s'est déchargé du secret.

- La *confession* tend ainsi vers *l'apologie,* c'est-à-dire vers le discours organisé à l'aide duquel l'écrivain justifie sa conduite. Faut-il pour autant parler de *perversion* de l'usage fait de l'aveu ? Nous touchons là au domaine délicat de la sincérité de Rousseau, que nous aborderons dans le chapitre 6. Force est pourtant de constater qu'à mesure qu'on avance dans les douze livres, ils méritent de moins en moins leur titre général. Au seuil du Livre VII, Rousseau nous prévient d'ailleurs qu'il a terminé le récit des «erreurs et fautes» de sa jeunesse avec le Livre VI. Dans la seconde partie, l'écrivain travaille à nous persuader que sa conduite a été juste, sincère, etc. Même s'il prétend laisser au lecteur le rôle de confident et de juge (cf. «Lecteur, pesez toutes ces circonstances, je n'ajouterai rien de plus» - IX, p. 200), son discours est si unilatéral et péremptoire qu'il offre peu de prise au jugement qu'il réclame ! Rousseau voudrait sans doute nous donner à observer qu'un équilibre s'établit entre le temps des erreurs (Livres I à VI) et le temps des vertus (Livres VII à XII) : mais reconnaissons alors que dans cette fragile symétrie, maigre paraît l'aveu des fautes au regard de celui des mérites.

5 | Les « Confessions » : acte de naissance de l'autobiographie moderne

Il serait erroné de penser, nous l'avons déjà signalé, que Rousseau a écrit les *Confessions* dans le seul but de répondre à ses détracteurs. Son livre est à la fois plus profond, plus nouveau et moins anecdotique : sinon saluerait-on en Jean-Jacques le père de l'autobiographie moderne ?

Dans un long préambule aux *Confessions,* dit préambule de Neuchâtel (parce qu'il a été conservé à la bibliothèque de Neuchâtel), Rousseau développait des idées fort nouvelles et nuancées sur l'autobiographie en général, et les futures *Confessions* en particulier. Il n'a malheureusement pas jugé bon de conserver de préambule dans l'édition définitive. Or ce texte de Neuchâtel n'intéresse pas seulement les érudits : l'édition de la Pléiade et l'édition Garnier l'offrent en appendice à leurs lecteurs et nous en tirerons plus loin les enseignements essentiels. Encore faut-il d'abord, pour apprécier la nouveauté des idées de Rousseau sur l'autobiographie, avoir quelques informations rétrospectives sur l'histoire de ce genre.

RAPPEL HISTORIQUE : DES « MÉMOIRES » AUX « CONFESSIONS »

Une précision de terminologie d'abord : nous avons souvent employé les termes d'« autobiographie » et d'« autobiographique », et Rousseau ne les utilise certes pas, puisqu'ils n'existent pas dans la langue de son temps.

On considère, rétrospectivement, que les *Confessions* marquent l'acte de naissance de l'autobiographie moderne, mais en toute rigueur il faudrait dire de l'autobiographie tout court ; car c'est vers 1800, en Angleterre, que, Rousseau ayant fait des émules, le mot suivra la chose : « autobiography » désignera un récit écrit à la première personne, dans lequel l'auteur retrace les événements de sa vie et la formation de sa personnalité[1]. Voilà, dira-t-on, qui n'était guère nouveau : on peut objecter qu'au XVIIᵉ et au XVIIIᵉ siècles ont pullulé les Mémoires écrits par des hommes célèbres (le cardinal de Retz, Casanova, Goldoni) ou désormais tombés dans l'oubli, qui déjà racontaient l'histoire de leur vie. En quoi l'autobiographie va-t-elle se distinguer des Mémoires (en ce sens, le mot est au pluriel et prend une majuscule) ? En ceci principalement : à la différence de l'autobiographie, le mémorialiste accorde une place plus considérable à la chronique des événements contemporains et à l'histoire politique et sociale à laquelle il a été mêlé qu'au récit de la formation de sa personnalité. C'est pourquoi les Mémoires ont souvent été l'œuvre d'hommes publics, participants de l'Histoire (le cardinal de Retz est un des acteurs de la Fronde ; songeons aujourd'hui aux Mémoires de Charles de Gaulle).

Avant Rousseau, il existait certes des écrivains qui, en tant qu'hommes privés, avaient jugé bon de narrer l'histoire de leur vie : à l'époque de la Renaissance surtout, et l'on songera à la Vie de ce Benvenuto Cellini (Florentin du XVIᵉ siècle) qu'admirait tant Stendhal. Mais Cellini se soucie assez peu de psychologie et d'introspection ; il fabule volontiers sur lui-même par goût du romanesque et du panache, et le reconnaît non sans désinvolture !

Reste une dernière voie, en apparence plus proche du projet intériorisé de Rousseau : c'est l'autobiographie religieuse, dont la première et la plus célèbre illustration fut les Confessions de saint Augustin : ce titre donnerait à supposer une affinité avec l'œuvre de Rousseau, et celui-ci, pour souligner la solennité

---

1. Sur le problème de l'autobiographie, on consultera l'excellente synthèse de Philippe Lejeune, *L'autobiographie en France,* Armand Colin, coll. U2, n⁰ 100. Nous lui sommes ici redevable de précieuses informations.

religieuse de son entreprise, a dû souhaiter que le lecteur fasse le rapprochement. En fait, les deux livres sont bien différents : saint Augustin ne confessait ses péchés de jeunesse que pour reconnaître du même mouvement la toute-puissance du Dieu chrétien qu'il découvrait, et qui allait le sauver de ses aveuglements. Jouant sur le double sens du mot latin *confessio* (aveu et reconnaissance), saint Augustin voulait que son livre fût autant un témoignage de la grandeur de Dieu qu'une confession de ses fautes.

Il semble donc que nous ne trouvons pas de précurseur à l'entreprise de Rousseau : seuls, dans l'histoire des idées au XVIIIe siècle, apparaissent quelques signes annonciateurs. Dans la seconde moitié de ce siècle, on s'intéresse de plus en plus à la singularité de la personne et à l'histoire de l'individu. La littérature commence à se pencher sur l'enfance, âge de la vie jugé jusque-là indigne d'être analysé.

Philippe Lejeune [1] a noté que c'est en 1760 qu'un mémorialiste, le cardinal de Bernis, ose pour la première fois rechercher dans son enfance les marques de sa personnalité future.

ROUSSEAU ET L'AUTOBIOGRAPHIE MODERNE

C'est dans le préambule de Neuchâtel et les deux dernières pages du Livre IV des *Confessions* que Rousseau pose le plus nettement, sans s'en douter, les principes de l'autobiographie moderne. Il nous faut ici les dégager et les illustrer par des exemples comparés, tirés des *Confessions* et d'autobiographies postérieures.

- *L'autobiographie est un récit rétrospectif de nature psychologique et morale*

Rousseau nous avertit que l'histoire de sa vie ne sera pas l'occasion d'une chronique des événements de son temps, ni même

---

1. Ph. Lejeune, *L'autobiographie en France,* Armand Colin, coll. U2, p. 64.

un simple « curriculum vitae » qui retrace les péripéties extérieures de sa carrière : « J'écris moins l'histoire de ces événements en eux-mêmes que l'histoire de mon âme, à mesure qu'ils sont arrivés[1]. »

L'originalité du sentiment devient alors un critère d'intérêt : cette promotion d'un moi solitaire et différent annonce le romantisme (cf. l'adolescence de Chateaubriand à travers les *Mémoires d'outre-tombe*).

- • *La singularité d'un être possède*
  une valeur instructive et universelle

Rousseau toutefois ne se montre pas pour se montrer, mais parce que ce dévoilement éclaire d'abord « un homme dans toute la vérité de la nature » (I, p. 33), et finalement la nature humaine elle-même. La confession autobiographique, même la plus excentrique, sert de « pièce de comparaison » à chaque lecteur pour apprendre à connaître l'homme.

En 1936, André Gide, pour parer au scandale suscité par son autobiographie *Si le grain ne meurt,* écrira : « Je crois que tout ce qui est vrai peut instruire. »

- • *L'autobiographie remonte dans le « moi » passé*
  pour comprendre le « moi » présent

Rousseau définit et applique une nouvelle méthode de connaissance de soi qu'on pourrait qualifier de « génétique ». Il s'agit pour l'écrivain de retrouver dans son passé la genèse du moi présent, d'y saisir la naissance des processus formateurs de la personnalité. Citons à cet égard un passage capital du Livre IV (p. 229) :

« Comme en général les objets font moins d'impression sur moi que leurs souvenirs, et que toutes mes idées sont en images, les premiers traits qui se sont gravés dans ma tête y sont demeurés, et ceux qui s'y sont empreints dans la suite se sont plutôt combinés avec eux qu'ils ne les ont effacés (...). Je m'applique à bien développer partout les premières causes pour faire sentir l'enchaînement des effets. »

---

1. Ébauche des *Confessions,* Édition de la Pléiade, 1959, p. 1150.

Ainsi la haine de l'injustice chez Jean-Jacques procède de l'injuste accusation portée jadis contre lui par les Lambercier (I, p. 49) ; la passion de la musique vocale remonte peut-être aux chansons de Tante Suzon, qui captivaient le jeune auditeur (I, p. 40) ; la force de l'imaginaire est primitivement liée aux lectures nocturnes, faites à haute voix par le père, des romans hérités de la mère disparue (I, p. 37) ; faut-il rappeler l'épisode du plaisir de la fessée qui, affirme Jean-Jacques, « a décidé de mes goûts, de mes désirs, de mes passions, de moi, pour le reste de ma vie » ? A ce propos, les critiques ont fait observer que ce qui était nouveau dans ce texte trop fameux, ce n'était pas l'audace de l'aveu, mais le sérieux avec lequel le narrateur analysait et interprétait un épisode enfantin, que d'autres auraient jugé ridicule et insignifiant.

Cette méthode de connaissance de soi annonce avec cent cinquante ans d'avance les enquêtes de la psychologie moderne sur l'enfance du « sujet », le processus de chocs, des « traumatismes » décisifs, la naissance des « complexes », etc. La psychanalyse, bien sûr, s'est intéressée aux *Confessions,* au Livre I surtout, qui, avec une modernité étonnante, semble lui frayer la voie, l'inviter à poursuivre l'œuvre ébauchée. Pour le docteur René Laforgue [1], par exemple, Rousseau a le sentiment inconscient d'avoir tué sa mère et de là dérive son obsession générale de la culpabilité. Il fonde notamment son analyse sur la page du Livre I (p. 36) où l'on voit le père de Jean-Jacques lui parler de sa mère disparue sur un ton de reproche et de tendresse à la fois, assez curieux en effet. Pour E. Gilliard [2], dès l'enfance, l'amour de l'orphelin pour la nature est le signe de sa future propension à rechercher indéfiniment la nature-mère à travers la femme.

Au XXᵉ siècle, l'analyse « génétique » inaugurée par Rousseau est devenue le fondement de bien des autobiographies célèbres : André Gide, dans *Si le grain ne meurt,* remonte aux sources enfantines de son homosexualité, met en lumière les

1. Dʳ René Laforgue, *Revue Française de Psychanalyse,* 1927, p. 370-402.

2. Edmond Gilliard, *De Rousseau à Jean-Jacques,* Lausanne, 1950.

pressions sociales qui, d'emblée, contribuent à son étouffement, et les aspirations profondes qui tendent, inéluctablement, à sa libération. Jean-Paul Sartre, dans *Les Mots,* a choisi de montrer, à travers les rapports avec l'imaginaire des livres qu'il entretenait étant enfant, comment s'est formée cette « névrose » qui l'a conduit à devenir écrivain. Julien Green, dans *Partir avant le jour,* s'efforce de retrouver les instants décisifs et mystérieux de son enfance, où l'intuition de Dieu et l'idée de Mal l'ont touché d'une empreinte ineffaçable.

- *L'autobiographe est à la recherche du sens de sa vie*

C'est ce qui découle naturellement des exemples que nous venons de citer. Gide, ou Sartre, ou Green font de l'autobiographie un moyen d'investigation de soi, une tentative de clarification existentielle, d'inspiration morale (Gide), philosophique (Sartre) ou spirituelle (J. Green). Mais cela ne signifie nullement que la tâche en soit toujours accomplie : il reste pour l'autobiographe des zones d'ombre qui l'empêchent de saisir complètement ce qu'il fut et qui il fut.

Rousseau prétend laisser à son lecteur le soin de résoudre ou d'expliquer les contradictions de son caractère (IV, p. 230), se déclare une énigme pour lui-même, et n'a pourtant de cesse d'avoir percé cette énigme ! Au début des *Rêveries,* il s'interroge encore (après les *Confessions,* les *Dialogues !*) : « ... que suis-je moi-même ? Voilà ce qui me reste à chercher. » L'autobiographe moderne lui aussi (songeons aux « sommes » autobiographiques de Michel Leiris[1] ou de Simone de Beauvoir[2] est en perpétuelle recherche d'un « moi » toujours à redéfinir.

1. Michel Leiris (né en 1901) a publié chez Gallimard une longue suite autobiographique sous les titres de *L'Âge d'homme* (1939), *Biffures* (1948), *Fourbis* (1955), *Fibrilles* (1966).
2. Simone de Beauvoir, *Mémoires d'une jeune fille rangée* (1958, Folio n° 786), *La Force de l'âge* (1960, Folio n° 751-752), *La Force des choses* (1963, Folio n° 764-765).

6 Le problème de la sincérité de Rousseau dans les « Confessions »

« Vitam impendere vero » (« consacrer sa vie à la vérité »), telle était la fière devise de Jean-Jacques : l'ambition d'être totalement sincère dans les *Confessions* ne fait que prolonger, sur le plan autobiographique, cette maxime de Rousseau philosophe.

Rousseau a-t-il été fidèle à son projet ? Nous proposerons d'abord quelques éléments de réponse à cette épineuse question qui a passionnément divisé les critiques et les écrivains postérieurs à Rousseau ; nous jetterons ensuite les bases d'un débat général, mais issu de l'œuvre même de Rousseau, sur la sincérité en littérature.

A QUEL PROPOS ET POURQUOI ROUSSEAU A-T-IL DÉFORMÉ LA VÉRITÉ ?

Pour répondre à cette double question, encore faut-il que nous connaissions les faits dans leur vérité, grâce à d'autres sources que les *Confessions* elles-mêmes ! Heureusement nous possédons encore la précieuse correspondance de Rousseau : il est plus d'une fois éclairant de rapprocher le témoignage sur le vif des lettres du récit rétrospectif et arrangé par l'autobiographe. Nous nous inspirerons dans notre analyse des travaux, souvent remarquables, des biographes érudits de Jean-Jacques, dont nous vous signalerons les ouvrages dans les notes. Nous analyserons d'assez près trois domaines essentiels où il est à peu près sûr que l'écrivain a déformé la vérité : étant entendu qu'on peut déformer la vérité non pas seulement en disant le contraire de ce qui fut, mais en l'embellissant, en l'exagérant, ou en omettant des points importants.

- *L'écrivain a embelli les années passées auprès de Madame de Warens*

A lire les *Confessions,* on dirait (en schématisant un peu) que « Maman » n'a pas cessé d'attendre Jean-Jacques pour lui ouvrir, au retour de ses voyages, un refuge consolateur, et que les sept ou huit années qu'il a passées auprès d'elle, une fois installé à Chambéry, ont été une idylle continue.

En fait, on peut apercevoir, en filigrane du récit même de Rousseau, une réalité sensiblement différente[1] : il semble qu'à maintes reprises « Maman » ait cherché à émanciper son encombrant protégé, soit en essayant de lui trouver une condition stable, soit en favorisant son départ. Dès leur première rencontre, elle ne le garde que trois jours, puis l'envoie à Turin ; il revient, elle le place au séminaire (III, p. 162), il s'y déplaît ; elle le confie à Monsieur Le Maître, puis l'envoie à Lyon avec celui-ci (III, p. 175). A Chambéry, elle se résout à faire de lui son amant et son intendant : comme il déçoit dans les deux rôles, elle encourage son départ pour Montpellier (VI, p. 315), puis, après son retour malheureux, derechef pour Lyon, chez Monsieur de Mably (VI, p. 336).

Autre point essentiel : dès son séjour à Montpellier, Jean-Jacques se savait supplanté dans le cœur de « Maman » par Wintzenried (comme en témoigne une lettre de lui datée de cette époque). Dans les *Confessions*, il situe cette découverte au moment de son retour (VI, p. 330) pour en rendre le récit plus pathétique. La fin de l'heureuse jeunesse coïncide ainsi avec la fin du Livre VI.

Pourquoi ces embellissements, pourquoi ces escamotages de dates au Livre VI ? Parce que l'écrivain ressentait le besoin de doter sa destinée d'un profond ancrage dans le bonheur perdu (Livres V et VI presque entiers). Madame de Warens devait demeurer pour lui une figure quasi mythique, mère et amante à la fois : dans le flou poétique qui enveloppe, dans la mémoire de Jean-Jacques, les années de Chambéry et d'Annecy, il est

---

1. Comme le suggère Jacques Voisine dans son Introduction aux *Confessions*, Éd. Garnier, 1964, p. LXIX et suivantes.

explicable que les différends et les zones d'ombre (les circonstances de la mort de Claude Anet, par exemple - V, p. 265) restent dans le silence. Rousseau n'est certes pas objectif ; mais pas non plus insincère : sa nostalgie embellit naturellement l'époque de sa jeunesse.

- ● *Rousseau a transfiguré l'histoire de sa passion pour Sophie d'Houdetot*

Résumons la version des faits que nous offre le Livre IX : Jean-Jacques s'éprend de Sophie, maîtresse de son ami Saint-Lambert, en l'absence de celui-ci. Par amitié pour Saint-Lambert, il renonce à elle dans de sublimes efforts de vertu. Au retour de Saint-Lambert, il lui apprend la vérité (IX, p. 204) et sollicite de devenir le confident et le mentor du couple.

Or, la correspondance de Rousseau prouve qu'il s'est montré tyrannique avec Sophie, qu'il lui a adressé des lettres ambiguës et tortueuses, cherchant à la fois à la retenir et à l'entraîner. De plus, Sophie et Jean-Jacques, se comportant comme des coupables, ont échangé quelques lettres factices et anodines, dans le but de les montrer à Saint-Lambert et de détourner ses soupçons. Enfin Rousseau a beaucoup plus tardé qu'il ne le prétend à avouer cette passion à son « rival » : entre-temps ses relations avec l'amant de Sophie furent pour le moins marquées de duplicité [1].

L'écrivain a-t-il sciemment trompé le lecteur des *Confessions*, en se prêtant le masque sublime de l'amant éperdu et de l'ami au grand cœur ? Pour en juger, il ne faut jamais perdre de vue que l'amour et l'exaltation romanesque ont partie liée chez Rousseau (cf. notre chapitre 3, p. 27). Rappelons que Jean-Jacques a d'abord retrouvé et aimé en Sophie d'Houdetot Julie, l'héroïne de *La Nouvelle Héloïse* : d'emblée le réel et l'imaginaire se surimpressionnent. Quand il rédige les *Confessions,* l'écrivain, avec le passage du temps, est d'autant plus

---

1. Sur tous ces points on consultera : H. Guillemin, *Les Affaires de l'Ermitage.* Annales J.-J. Rousseau, t. XXIX, et aussi : J. Guéhenno, *Jean-Jacques,* tome II : *Roman et Vérité,* Paris, Grasset, 1950.

amené à croire que sa conduite à l'égard de Sophie et de Saint-Lambert a réellement été aussi vertueuse que celle de Saint-Preux vis-à-vis de Julie et de Monsieur de Wolmar, dans la seconde partie de *La Nouvelle Héloïse* !

Grâce aux arrangements auxquels il procède dans les *Confessions*, Jean-Jacques se donne l'illusion que sa vie a ressemblé à l'idéal de la fiction : pour *s'accepter* lui-même, pour se *reconnaître*, il a besoin de se croire vertueux. A la question de sa sincérité, il serait dans ce cas bien schématique de répondre simplement par un oui ou par un non.

- • *Rousseau a amplifié et dramatisé les hostilités dont il a été l'objet*

Nous abordons là un point très délicat, au sujet duquel la vérité objective, si tant est qu'il existe une vérité « objective » dans un tel domaine, n'est pas saisissable dans sa totalité. Deux camps d'écrivains et d'érudits se sont longtemps opposés : les « amis » de Jean-Jacques, qui le suivaient dans ses plaintes et ses dénonciations, et les « ennemis » qui systématiquement faisaient de lui un mythomane. Puis les psychiatres se sont intéressés au « cas Rousseau » : pour ces derniers, la maladie mentale de Jean-Jacques (névrose, paranoïa, folie raisonnante, etc.) explique tout : le voilà absous mais déclaré irresponsable. Jean Starobinsky, dans un ouvrage magistral [1], examinant le problème sous le double regard du médecin et du critique littéraire, est venu apporter des réponses décisives dont nous donnerons l'essentiel ici :

- Que prétend Rousseau dans les *Confessions* (Livres X, XI, et XII) ? Que ses ennemis (d'Holbach, Diderot, Madame d'Épinay, Voltaire et surtout Grimm) ont machiné un « obscur et profond système » (X, p. 253) de calomnies contre lui, à Paris et en Suisse ; que, dans l'affaire de la condamnation de l'*Émile*, toute une cabale, avec l'appui du duc de Choiseul, s'est acharnée à sa perte (XI, p. 322, 323, 336, 337, 348,

---

1. J. Starobinsky, *J.-J. Rousseau. La Transparence et l'Obstacle*, Gallimard, coll. Tel, n° 6, chap. VIII (voir Bibliographie, p. 77).

349) ; qu'il renonce pour sa part à débrouiller ce réseau d'hostilités, qualifié d'« œuvre de ténèbres » (XII, p. 362), qui n'a plus cessé de l'enserrer.

- Que savons-nous avec certitude ? Que Grimm, en effet, n'a épargné aucune calomnie à Jean-Jacques, et qu'il a entraîné dans ses vues Madame d'Épinay, d'Holbach, d'Alembert. Jean Guéhenno suppose avec raison ces tracasseries favorisées par le caractère ombrageux et soupçonneux à l'extrême de Rousseau : « Mais son erreur, précise-t-il, fut de croire à un véritable « système » monté contre lui et « la coterie holbachique ». Certes, l'*Émile* a été condamné et Rousseau a échappé de peu à l'arrestation : mais il a tort de prendre pour une hostilité contre sa personne de très explicables poursuites contre l'auteur d'écrits jugés subversifs (cf. notre chapitre I, p. 6).

- Pourquoi, ici encore, cette déformation de la vérité par exagération ? Il faut répondre en faisant la part du pathologique qui, de quelque appellation qu'on la couvre, existe chez Rousseau : Jean-Jacques était affecté de la manie interprétative, qui le conduisait à sans cesse interpréter dans un sens hostile à sa personne les faits et gestes d'autrui ; il justifiait par là à ses propres yeux son angoisse omniprésente, mais vague, de la persécution. Telles sont les premières conclusions de Jean Starobinsky[1].

Mais il faut aller plus loin : car est-il possible à un homme possédé par ce démon de l'interprétation de raconter avec objectivité l'histoire de ses vicissitudes, même avec les meilleures intentions de sincérité du monde ? Revenir sur le passé, même pour tenter d'analyser « objectivement » les faits, c'est encore pour Rousseau une invite à dramatiser, à solenniser littérairement le malheur (cf. le récit de l'arrestation au petit matin, XI, p. 354, 358) ; c'est surtout la porte ouverte plus que jamais à toutes les interprétations rétrospectives imaginables : une parole, un geste, un sourire d'autrui deviennent autant de signes maléfiques, annonciateurs de la catastrophe (XI, p. 342, 346, 348).

1. In *La Transparence et l'Obstacle*, Gallimard, Tel, n° 6, p. 240-242.

Une fois encore, l'intention de sincérité, dont on veut bien créditer Rousseau, est entravée par les pouvoirs, ici pathologiques, de son imagination : sa perception même du réel en est déformée.

DE LA SINCÉRITÉ EN LITTÉRATURE DEPUIS ROUSSEAU

Rousseau, pionnier de l'autobiographie moderne, est aussi le premier à avoir introduit en littérature le problème brûlant de la sincérité. Mais du même coup il a placé cette question sous le signe du paradoxe : car il a voulu tout dire, et il a laissé des vérités dans l'ombre, il s'est confessé de ses fautes, mais sa confession n'est pas complète, et ressemble d'ailleurs à une disculpation. On n'a pas manqué de le juger sévèrement, mais il a appelé cette sévérité même par ses proclamations, inédites en littérature avant lui, de totale sincérité ! Deux questions se posent : la postérité littéraire lui a-t-elle fait crédit d'intention de sincérité ? Quelle leçon les écrivains, et spécialement les autobiographes, ont-ils tirée de l'exemple de Rousseau ?

- *La sincérité de Rousseau a été diversement appréciée*

Un premier type de réaction à l'œuvre autobiographique de Rousseau est représenté par Rétif de la Bretonne (1734-1806) : dans la préface de sa propre autobiographie, *Monsieur Nicolas ou le cœur humain dévoilé*, Rétif se réfère à Rousseau, mais ajoute aussitôt que les *Confessions* ne sont qu'un roman, pas une autobiographie sincère : il faut aller plus loin que Jean-Jacques, « anatomiser le cœur humain », « sonder les profondeurs du moi », ne reculer ni devant la pudeur ni devant les bienséances. Rétif reproche donc à Rousseau une sorte de timidité puritaine dans l'examen de soi.

Tout opposé est le point de vue de Chateaubriand (1768-1848) : dans une page du Livre XV de ses *Mémoires d'Outre-Tombe*[1], l'écrivain fait assez dédaigneusement allusion à Jean-

---

1. *Mémoires d'Outre-Tombe*, Livre XV, chap. 7, Gallimard, Pléiade, p. 525-526.

Jacques, en rappelant qu'il n'a pas, lui, «fait chasser une servante pour un ruban volé ni abandonné (son) ami mourant dans une rue (...) ni mis (ses) bâtards aux Enfants-Trouvés». Mais ce qu'il reproche surtout à Rousseau, c'est moins les faits eux-mêmes, que d'avoir prétendu intéresser les lecteurs par des aveux aussi pitoyables et compliqués! La sincérité absolue contrevient à ses yeux à la dignité de la littérature : sa condamnation de Rousseau se fonde donc sur des critères à la fois moraux et esthétiques.

Plus nuancée et déjà plus moderne est l'opinion de George Sand[1] (1804-1876) : pour elle, on ne saurait nier que trop souvent Rousseau «s'accuse afin d'avoir l'occasion de se disculper» et «qu'il révèle des fautes ignorées afin d'avoir le droit de repousser des calomnies publiques»; mais il convient de voir les choses de plus haut : selon George Sand, on peut admirer dans les *Confessions*, sinon le récit d'une vérité toujours objective, du moins le combat perpétuel de Rousseau *vers la vérité et la sincérité,* en un mot l'*authenticité* de sa recherche de soi, dans «le milieu frivole, incrédule ou corrompu qu'il traversait». «Et ne suffit-il pas, conclut George Sand, pour le croire pur et bon, de lire les parties de sa vie où il oublie de s'accuser? Ce n'est que là qu'il est naïf et on le sent bien.»

- *Séductions et pièges de la sincérité*

Mais au fond, pourquoi être sincère en littérature? se demande Stendhal, lecteur ironique et complice de Rousseau.

D'abord, par haine de l'hypocrisie, du pharisianisme, du mensonge que l'on se donne à soi-même quand on ment pour autrui : telles sont les raisons exposées au début de la *Vie de Henry Brulard*[2], autobiographie étonnante de lucidité et d'humour. Ensuite, parce qu'être vrai, sans crainte de la morale et des réactions indignées des contemporains, est la seule manière de passer à la postérité : dans le cas de Stendhal lui-même, salué comme un grand de la littérature, et de la littérature

1. G. Sand, *Œuvres autobiographiques,* Gallimard, Pléiade, p. 5 à 13.
2. Stendhal, *Vie de Henry Brulard,* Gallimard, col. Folio, p. 28 à 35.

autobiographique, seulement après 1914, l'analyse s'est révélée juste.

Au XXᵉ siècle, on retiendra un terrible pourfendeur de la sincérité en littérature : Paul Valéry[1]. Selon lui, quiconque écrit sur soi pour un public cesse d'être sincère, pour jouer la comédie de la sincérité, rôle fort à la mode depuis un certain Rousseau ! « Comment, nous dit-il, ne pas choisir le meilleur dans ce *vrai* sur quoi l'on opère ? Comment ne pas souligner, arrondir, colorer, chercher à faire plus net, plus fort, plus troublant, plus intime, plus brutal que le modèle ?... Qui se confesse ment, et fuit le véritable vrai, lequel est nul, ou informe, et en général indistinct. Mais la confidence toujours songe à la gloire, au scandale, à l'excuse, à la propagande. » Et de fait, par le jeu de l'inévitable reconstruction littéraire, la sincérité absolue demeure pour l'autobiographe un horizon toujours désiré et jamais atteint. Dans ces conditions, pourquoi ne pas affirmer que la vraie grandeur de Rousseau est d'avoir toujours tendu, avec une authenticité indéniable, vers cet idéal de la transparence ?

1. P. Valéry, *Stendhal*, Gallimard, Pléiade, tome 1, p. 565-66.

7 « Mon style (...) fera lui-même partie de mon histoire »

« Mon style, inégal et naturel, tantôt rapide et tantôt diffus, tantôt sage et tantôt fou, tantôt grave et tantôt gai, fera lui-même partie de mon histoire », notait Rousseau dans le Préambule de Neuchâtel[1].

« Mon histoire » désigne bien sûr les *Confessions*, l'autobiographie encore en projet quand Rousseau écrit ces lignes.

La narration, dans les *Confessions*, est en effet remarquable par la variété de ses tons - ce que Rousseau appelle « style inégal » : nous donnerons d'abord un aperçu sur cet art du récit.

Mais le style ne se réduit pas au ton, si charmant soit-il dans sa diversité. Rousseau exploite en fait, avec l'aisance d'un écrivain parvenu à sa maturité, toutes les techniques d'expression de la prose : tantôt portraitiste ou caricaturiste, tantôt éloquent quand il lui faut repousser des accusations, et parfois poète en prose du souvenir, comme dans ses futures *Rêveries*.

L'ART DU RÉCIT

• *L'influence du roman picaresque : vivacité et humour*

Le roman picaresque (de l'espagnol « picaro » = vagabond) est né en Espagne à la fin du XVIe siècle : on y suit les pérégrinations, les réussites et les déboires d'un marginal sans principes, muni pour tout bagage de cynisme et de gaîté. Le

---

1. Ébauches des *Confessions*, Éd. de la Pléiade, p. 1154.

héros, qui est souvent le narrateur, y manque rarement d'humour à l'égard de ses infortunes...

Au XVIIIe siècle, la tradition est reprise en France par Lesage dans l'*Histoire de Gil Blas de Santillane,* roman que Rousseau lut encore adolescent, sur le conseil de mademoiselle du Châtelet (IV, p. 225). Trente ans plus tard, quand il écrit l'histoire de sa jeunesse, Rousseau s'amuse à retrouver dans les aventures de l'adolescent qu'il fut la toile de fond d'un possible roman picaresque. Il insiste à plaisir sur son instabilité, son goût du vagabondage, et sa bonne humeur fataliste face aux coups du sort. De fait, il est passé sans cesse de condition en condition (apprenti-graveur, commis de magasin, valet de grande maison, professeur de musique, séminariste, interprète d'un moine...); il offre un curieux mélange d'impulsivité enfantine et d'habileté intrigante : il sait séduire, raconter aux dames la «petite histoire» de ses malheurs, pour les attendrir (madame de Warens, madame de Bonac, IV, p. 209).

L'écrivain a tiré un parti adroit de ce matériau biographique hétéroclite : il a mené son récit avec vivacité et légèreté, escamotant les transitions et les moments creux de sa vie, enchaînant promptement lieux et visages nouveaux.

Par souci de maintenir l'intérêt romanesque, il exploite à fond (douze pages) le séjour à l'Hospice de Turin (II, p. 96-108), asile pittoresque, plein de figures douteuses, et expédie en quelques lignes le récit d'un automne et d'un hiver à Neuchâtel (IV, p. 205), époque sans doute dénuée de faits saillants.

L'art du récit rejoint souvent l'art de conter à l'aide de courtes scènes, quelquefois dialoguées, où apparaît soudain un personnage qui, son petit rôle joué, disparaît aussitôt. Ainsi, chantonnant une cantate dans une rue de Lyon (IV, p. 223)...

«Dans mon meilleur train d'aller et de chanter, j'entends quelqu'un derrière moi, je me retourne, je vois un Antonin qui me suivait et qui paraissait m'écouter avec plaisir. Il m'accoste, me salue, me demande si je sais la musique. Je réponds : *un peu,* pour faire entendre *beaucoup.* Il continue à me questionner ; je lui conte une partie de mon histoire... »

On notera la même rapidité du trait et de la scène dans la rencontre avec l'archimandrite, tout droit sorti, dirait-on, d'un roman picaresque : trois lignes suffisent au croquis (grande barbe, bonnet fourré, « l'équipage et l'air assez nobles », IV, p. 205) ; trois mots d'italien nouent une aventureuse et éphémère amitié.

L'impression de légèreté est accrue par l'humour que l'écrivain laisse transparaître à l'égard de l'adolescent qu'il a été. Il sourit à ses rêves de gloire militaire (« Je croyais déjà me voir en habit d'officier avec un beau plumet blanc », IV, p. 211) ; il se moque de sa manie de tomber amoureux de toutes les femmes qui le reçoivent gracieusement (IV, p. 210). Dans cet humour de l'homme mûr à l'égard du jeune homme naïf, il entre une tendresse retenue, sinon un attendrissement : on pourrait dire que l'écrivain établit entre lui-même et le jeune Jean-Jacques la même distance amicalement ironique que le fera Stendhal, dans *La Chartreuse de Parme*, vis-à-vis de Fabrice, son jeune alter ego.

• *Conter en variant les tons*

A l'intérieur d'un épisode narratif, l'écrivain sait jouer successivement de l'humour, de la légèreté, de l'attendrissement, de la mélancolie, de certains effets pathétiques. Tantôt domine la voix joyeuse : l'écrivain est alors tout entier subjugué par le souvenir du bonheur qu'il retrace ; tantôt la voix nostalgique : Rousseau mesure cette fois l'écoulement du temps et l'irréversibilité des moments heureux.

Examinons d'assez près l'épisode dit « Journée des cerises » (IV, p. 183-188), un des plus appréciés des lecteurs, qui de génération en génération ont vanté son charme. Ce charme ne viendrait-il pas des subtils et fréquents changements de ton ? Rousseau ressuscite d'abord l'atmosphère légère, badine, un rien leste, de la rencontre : deux jeunes filles de l'aristocratie s'amusent à convier à un déjeuner sur l'herbe un jeune homme pauvre et intimidé : « ... Il faut, s'il vous plaît, venir avec nous : nous vous arrêtons prisonnier. » L'écrivain a gardé ensuite du repas champêtre le souvenir d'une idylle innocente : « gaieté vive et charmante », la plus grande liberté, mais « la plus grande décence » ; le dessert est cueilli sur l'arbre, les paysans sont accueillants et sobres ; nous avons là le tableau de la vertu au sein de la nature, rêve de l'auteur de *La Nouvelle Héloïse* ; puis, légère rupture, vient l'épisode de la main baisée, bref suspens dramatique ; le *tempo* du récit se ralentit, à l'image de l'inhibition érotique de Jean-Jacques : « Nous étions seuls, je respirais avec embarras, elle avait les yeux baissés. » Enfin, c'est l'écrivain soudain vieilli qui reprend la parole ; le voici qui se lance dans une idéalisation pathétique : « Nous nous aimions sans mystère et sans honte, et nous voulions nous aimer toujours ainsi. » L'épisode se referme sur une note nostalgique : les promesses d'amitié (ou d'amour) de cette belle journée devaient ne jamais se réaliser, le bonheur était à l'image de l'éphémère : « Quoi qu'il en soit, il me semblait en les quittant que je ne pourrais plus vivre sans l'une et sans l'autre. Qui m'eût dit que je ne les reverrais de ma vie, et que là finiraient nos éphémères amours ? » Tout l'art de l'écrivain a été de raconter la journée en adoptant à la fois le point de vue naïf et timide du jeune Jean-Jacques et celui d'un homme vieilli dont la mélancolie est discrètement, mais continûment présente.

Dans le non moins célèbre épisode des amours avec madame de Larnage (VI, p. 315-324), nous retrouvons la même variation des tons. Le narrateur prend un plaisir visible à retracer les aléas et les lenteurs des voyages en carrosse, qui favorisent les rencontres galantes à l'auberge ; il a observé l'œil narquois du vieux monsieur de Torignan, qui s'amuse de sa timidité avec Suzanne de Larnage. Tout cela pourrait constituer le noyau d'un petit roman galant dans le style de l'époque. En revanche, avec quelle solennité un peu naïve Rousseau nous rapporte sa découverte de la volupté (p. 321) ! Et quel soupir de mélancolie lui échappe soudain, au souvenir de leurs brèves amours, « dans le plus beau pays et sous le plus beau ciel du monde » : « Oh ! ces trois jours ! J'ai dû les regretter quelquefois, il ne m'en est plus revenu de semblables » (p. 322).

Là encore, le narrateur s'identifie successivement au jeune Jean-Jacques vibrant de passion, et au vieux Rousseau, qui tantôt sourit de sa timidité d'autrefois, tantôt pleure le bonheur perdu. La variation des tons procède de la variation des points de vue sur soi, technique toujours séduisante dans un récit autobiographique.

ROUSSEAU PORTRAITISTE

Dans les Mémoires des XVIIe et XVIIIe siècles, le portrait occupe une place choisie : les lecteurs, souvent gens de la Cour, connaissent le modèle et apprécient à loisir la justesse, la perfidie, l'esprit du portraitiste. Les portraits contrastés de Richelieu et de Mazarin par le cardinal de Retz, ceux du Grand Dauphin, fils de Louis XIV, du duc de Bourgogne ou de Fénelon dans les *Mémoires* de Saint-Simon comptent parmi les chefs-d'œuvre du genre.

Les *Confessions* tiennent à la fois des Mémoires et du roman : l'art de Rousseau est ici tout en souplesse. Deux ou trois traits, assortis d'une anecdote, suffisent à évoquer un personnage de second plan : caricature, ou simplement esquisse. Pour les personnages de premier plan (madame de Warens, Grimm, Sophie d'Houdetot), le portraitiste n'a pas choisi de taire sa passion à l'égard du modèle : les grands portraits des *Confessions* tirent précisément leur force de l'amour ou de la haine que Rousseau a laissé transparaître.

• *Caricatures et esquisses*

Portraiturer, au XVIIIe siècle, c'est savoir rendre en deux ou trois phrases l'originalité d'un être, au détour de la conversation ou du conte ; il faut parfois saisir promptement, comme Quentin de La Tour (1704-1788) dans ses pastels, tous les sens d'un sourire éphémère. Jean-Jacques, si timide en société, a pris sa revanche dans cet art délicat en rédigeant ses *Confessions*.

Cet ennemi de Molière (cf. *Lettre sur les spectacles*) révèle des talents de caricaturiste, pour se rappeler, chez un de ses maîtres de séminaire (III, p. 164), « un visage de pain d'épice, une voix de buffle, un regard de chat-huant, des crins de sanglier au lieu de barbe ». Plus finement caricaturé, et non sans tendresse, est le juge Simon (IV, p. 190), nain galant, ridicule et touchant, « dont on commençait par rire et qu'on finissait par aimer ».

La petite société de Chambéry fournit l'occasion d'esquisses enjouées et incisives : on sent ici que Rousseau a lu et médité La Bruyère (III, p. 156) et qu'il a appris de l'auteur des *Caractères* que rien ne peint mieux un original que deux ou trois anecdotes significatives.

Nous sourions, à la suite de Rousseau, des répliques hardies et spirituelles du médecin Grossi (V, p. 263), des manies singulières de Bagueret, infatigable joueur d'échecs (V, p. 282) ou des raffinements de l'aimable Père Caton (V, p. 243), moine mélomane apprécié des honnêtes gens « qui ne lui ont trouvé d'autre défaut que d'être moine »... Au XVIIIe siècle, on excelle dans ces esquisses de personnages charmants et énigmatiques, traités dans un style brillant et désinvolte : songeons seulement à la verve du *Neveu de Rameau* et au petit récit de la leçon de musique chez une demoiselle de la bonne société... Rousseau, en bon classique, sait user de la litote, de la brièveté ou même du silence pour suggérer le sentiment d'ambiguïté inquiétante qui se dégage de tel personnage : quelle était donc cette petite mademoiselle Goton avec sa « figure difficile à oublier » et « ses yeux surtout » qui « n'étaient pas de son âge, ni sa taille, ni son maintien » (I, p. 59) ?

Le goût de la formule d'esprit peut entraîner Rousseau sur la pente de la préciosité (une des caractéristiques de ce que l'on appelle « marivaudage »). Comment, cependant, évoquer plus délicatement madame de Larnage, plus attachante que séduisante : « On pouvait la voir sans l'aimer, mais non pas la posséder sans l'adorer » ?

Certains personnages des *Confessions* sont aussi intensément présents que s'ils étaient des personnages romanesques (madame d'Épinay, madame d'Houdetot, Grimm, peut-être Diderot et Thérèse Levasseur, et surtout « Maman ») : à la différence de ces derniers, ils n'ont pourtant pas droit à l'expression directe, sauf rares exceptions, dans un récit mené de bout en bout à la première personne. Rousseau use avec les figures de premier plan d'un habile éclairage indirect : il décrit moins le personnage physiquement qu'il ne nous le donne à connaître par le récit de ses actions et de sa destinée. Il effectue là une sorte de synthèse morale : mais il ne s'y montre guère objectif ! Le portrait-récit est tout vibrant de sympathie ou d'antipathie : telle est la vraie raison de sa puissance d'évocation.

Le portrait de Grimm par exemple (IX, p. 223-228) apparaît tout d'abord composé d'une mosaïque de petits faits « vrais » ; mais on s'avise ensuite que Rousseau nous a fait faire insensiblement le tour d'un caractère qu'il déteste, en illustrant successivement sa grossièreté, son arrogance, son hypocrisie. Finalement le portrait n'est qu'un faisceau d'accusations convergentes, la déposition à charge d'un témoin qui fouille sa mémoire pour accabler de plus haut l'accusé (« je me rappelai... il me souvint de mille faits de cette espèce »). Le portrait tourne au réquisitoire contre Grimm et à l'apologie de Jean-Jacques. Des formules symétriques inverses démontrent la noirceur de celui-là et l'innocence de celui-ci ; le style est tendu et fiévreux, incisif et vengeur. Ainsi, à propos de leurs amis respectifs (IX, p. 228) :

« Il ne m'a jamais donné aucun des siens ; je lui ai donné tous les miens, et il a fini par me les tous ôter. Si ce sont là des effets de l'amitié, quels seront donc ceux de la haine ? »

En revanche, la figure de madame de Warens tire son charme de l'indulgence attendrie avec laquelle la peint Rousseau ; il ne s'attarde guère à nous livrer d'elle un portrait physique précis (pas de portrait réaliste et énumératif à la manière de Balzac ou de Flaubert). Elle nous est présentée (II, p. 83-86) à travers le récit de sa destinée : l'écrivain, mêlant habilement les époques, révèle à la fois ce que « Maman » a été et ce qu'elle aurait pu devenir ; il montre comment ses défauts n'étaient que l'envers de ses qualités, et quelle était sa « morale » particulière. A toute occasion, l'écrivain rapproche leurs deux caractères, le sien et celui de sa protectrice : ils sont deux cœurs imaginatifs, aventureux, foncièrement bons et détournés parfois du bien par faiblesse (V, p. 257). De « Maman », nous garderons l'image d'une jeune femme gracieuse et rayonnante, enseignant à Jean-Jacques le nom des fleurs lors d'une promenade alpestre (VI, p. 311) ; nous l'apercevrons encore âgée et ruinée (VIII, p. 139) s'en aller bientôt rejoindre les morts (XII, p. 397). C'est là peu de chose, pour un personnage que nous ne connaissons que de biais : la merveille est que Rousseau ait su donner à imaginer un être singulièrement vrai et attachant avec si peu de mots. Sans doute « Maman » incarne-t-elle le bonheur perdu, thème inépuisable de rêverie... Nous évoquerons plus loin cette magie poétique des *Confessions*.

ÉLOQUENCE ET RHÉTORIQUE

Plus qu'aucun autre écrivain, Rousseau aura été possédé par le démon de l'éloquence : à seize ans déjà, il espère beaucoup de charme de sa plume quand il remet à une inconnue, Madame de Warens, une épître bien tournée (II, p. 83). Dès le *Discours sur les Sciences et les Arts* il est manifeste que la marque de son génie est d'allier la force d'une pensée neuve et provocatrice à une parfaite maîtrise de la rhétorique classique.

Sa correspondance avec Sophie d'Houdetot montre assez que pour lui un sentiment ne devient vraiment sublime qu'à condition d'être décrit, analysé, disséqué, dramatisé dans l'expression la plus savante.

Dans l'ensemble des *Confessions,* heureusement, on ne note aucun abus d'éloquence, ni de penchant au style mélodramatique, comme il arrive dans *La Nouvelle Héloïse,* livre à cet égard plus dépaysant pour un lecteur d'aujourd'hui. Les grands mouvements oratoires sont liés au surgissement d'un souvenir particulièrement émouvant : ainsi les trois adresses de Jean-Jacques à « Maman » célèbrent les trois étapes décisives de la vie aux Charmettes : la promesse du bonheur (« O Maman ! (...) ce séjour est celui du bonheur et de l'innocence. Si nous ne les trouvons pas ici l'un avec l'autre, il ne les faut chercher nulle part », V, p. 287) ; l'apothéose (« Maman, Maman, lui dis-je avec passion, ce jour m'a été promis depuis longtemps et je ne vois rien au-delà », VI, p. 311) ; le renoncement à l'intimité (« Non, Maman... je vous aime trop pour vous avilir ; votre possession m'est trop chère pour la partager », VI, p. 333). Les exclamations, les vocatifs (« Maman, Maman... »), les symétries (« trouver ici... chercher nulle part »), les reprises de tournures à effet d'insistance (« je vous aime trop pour... », « trop chère pour... ») visent à solenniser des instants d'intense émotion : l'expression du lyrisme est chez Rousseau indissociable de l'éloquence achevée.

Autre amour, autres traits d'éloquence pathétique : dans la scène de la passion impossible entre Sophie et Jean-Jacques, Celle-ci s'exclame : « Non, jamais homme ne fut si aimable, et jamais amant n'aima comme vous ! Mais votre ami Saint-Lambert nous écoute, et mon cœur ne saurait aimer deux fois » (IX, p. 200). Cette courte réplique est très travaillée : deux phrases symétriques s'y répondent, elles-mêmes composées de deux sous-ensembles d'environ dix syllabes, rythmés par la virgule. On notera le jeu sémantique des termes, sur la racine « aimer » : « aimable », « amant », « aima » s'opposent au fatal « votre ami ».

L'expression « Saint-Lambert nous écoute » n'est bien sûr qu'une image, qui renforce, non sans préciosité, l'effet dramatique. On voit ici que Jean-Jacques, l'ennemi des mondains, manie parfois la langue et la psychologie avec autant de subtilité que les beaux esprits du théâtre de Marivaux !

N'oublions pas le plus célèbre morceau d'éloquence lyrique : l'ouverture du Livre VI, à la gloire des Charmettes (p. 288-289) ; observons que tous les termes principaux y sont repris comme dans un mouvement musical de fugue, à l'élan irrésistible mais serein, image du bonheur lui-même : « Ici commence... ici viennent les rapides moments... moments précieux... Comment ferai-je pour prolonger... pour redire... mais comment dire ce qui n'était ni dit, ni fait ? » Élan prolongé par la reprise, en fin des phrases, du : « et j'étais heureux, » délicatement varié à la quatrième reprise en un : « et le bonheur me suivait partout ».

• *La rhétorique du plaidoyer*

Quand cette éloquence est mise au service d'une démonstration, elle s'organise en une rhétorique persuasive et justificatrice. La rhétorique est ici, au sens classique, l'art de persuader l'auditeur ou le lecteur à l'aide d'une disposition habile des parties du discours et de l'utilisation adéquate des arguments.

Ainsi, pour se justifier de l'abandon de ses enfants (VIII, p. 100-103), l'écrivain commence par déplacer le débat sur le terrain qu'il choisit lui-même : on reconnaît là un procédé d'avocat. Il met ses accusateurs devant une contradiction : comment imaginer qu'un cœur sensible, humain, etc., comme celui de Jean-Jacques, ait sciemment commis une si grave faute ?

Il faut donc dissocier, pour le juger, l'intention (il croyait épargner la misère à ses enfants) de l'acte lui-même (condamnable « in abstracto »). Une formule définitive vient clore ce raisonnement subtil : « J'ai négligé mes devoirs, mais le désir de nuire n'est pas entré dans mon cœur. » L'aveu contient donc déjà la défense. Rousseau glisse ensuite de la réfutation à l'attaque retournée contre l'adversaire, autre procédé d'avocat : il a certes commis des fautes, mais ceux qui ont ébruité son secret par malveillance sont coupables « de bassesses d'âme et de noirceurs » : c'est sur ceux-là que tombent, comme un couperet, les derniers mots du plaidoyer...

On admirera le même art de plaider dans le récit de l'accusation de Marion (II, p. 124-28), déjà évoqué dans notre chapitre 2.

La disculpation se fait en trois temps :

- La « méchanceté » apparente de Jean-Jacques s'explique par son inhibition, qui lui fait faire le contraire de ce qu'il veut faire : il voulait... donner le ruban à Marion.

- Il n'a pas avoué par crainte de la honte publique : sa faute n'est qu'une faiblesse, pas une perversité.

- Il a désormais suffisamment « payé » sa faute par le remords et les chagrins, il se sait racheté par sa longue vie de droiture.

POÉSIE DE LA MÉMOIRE

Les critiques ont souvent affirmé que Rousseau a le premier, avec les *Confessions,* exploré la poésie de la mémoire dans le récit autobiographique. De fait, le souvenir rousseauiste est profondément original : l'écrivain se rappelle intensément une voix, un visage, une couleur, un mouvement fugitif. Ces souvenirs, d'apparence fragmentaire et anodine, sont pour lui les condensateurs grâce auxquels le passé soudain ressuscite. La poésie naît alors de la netteté avec laquelle de telles images, pures et intactes comme au premier jour, s'imposent à la mémoire de l'écrivain. Voici retrouvé le bonheur enfantin de Bossey, chez les Lambercier (I, p. 52) :

« Je vois la servante ou le valet agissant dans la chambre, une hirondelle entrant par la fenêtre, une mouche se poser sur ma main tandis que je récitais ma leçon : je vois tout l'arrangement de la chambre où nous étions ; le cabinet de M. Lambercier à main droite, une estampe représentant tous les papes, un baromètre, un grand calendrier, des framboisiers qui, d'un jardin fort élevé dans lequel la maison s'enfonçait sur le derrière, venaient ombrager la fenêtre, et passaient quelquefois jusqu'en dedans. »

Rien en soi n'est extraordinaire dans chacun de ces souvenirs ; mais leur conjonction, dans sa simplicité, résume poétiquement une atmosphère : passage éphémère de la mouche et de l'oiseau, symbole du bonheur si fragile de l'enfance, objets à la fois mystérieux et familiers du monde des « grandes personnes », végétation (nature) enveloppante et présente jusque dans la maison...

Plus le souvenir est intense, plus l'écrivain écarte, pour le capter dans des mots, les épithètes pittoresques ou savantes ; la phrase est limpide et courte ; Rousseau s'attache à rendre ou plus précise, ou plus juste, l'impression produite par la sensation sur l'âme, et rien d'autre.

Voici un de ces moments de grâce des *Confessions,* après une nuit passée à la belle étoile au bord de la Saône (IV, p. 223) :

« Un rossignol était précisément au-dessus de moi ; je m'endormis à son chant : mon sommeil fut doux, mon réveil le fut davantage. Il était grand jour : mes yeux, en s'ouvrant, virent l'eau, la verdure, un paysage admirable. »

Le souvenir des chants, des voix et des timbres semble avoir particulièrement hanté l'écrivain-musicien que fut Rousseau. Il entend encore « la voix nette, juste et flûtée » d'une charmante écolière de Chambéry (V, p. 247) ou le petit motet qu'il chantait dans la maîtrise d'Annecy (III, p. 169) ; et le souvenir le plus vivant de « Maman » elle-même est celui de sa voix claire et douce, « cette voix argentée de la jeunesse, qui fit toujours sur moi tant d'impression, qu'encore aujourd'hui je ne puis entendre sans émotion le son d'une jolie voix de fille » (V, p. 253). A l'aide de ces rappels, en apparence si simples, de ce qu'un être ou un moment possédait de plus charmant, mais de plus impondérable, Rousseau accomplit le miracle poétique : c'est toute une époque de bonheur et d'insouciance qu'il évoque pour son lecteur avec une merveilleuse économie de moyens.

Jean-Jacques s'est le premier aventuré sur les chemins de ce qu'on appellera plus tard la mémoire affective (VI, p. 290) : un jour de 1764, exilé et amer, il herborise dans la montagne suisse ; soudain la vue d'une pervenche en fleur le remplit d'une joie étrange : il se rappelle alors l'exclamation de « Maman », trente ans plus tôt, dans le chemin des Charmettes : « Voilà de la pervenche encore en fleur. »

L'espace de quelques secondes, la petite fleur lui a rouvert les portes d'un lointain paradis perdu au fond de la mémoire. Tel est le phénomène de la mémoire affective, que Proust théorisera et illustrera dans *A la Recherche du temps perdu* : là, ce sera l'enfance du narrateur à Combray qui resurgira de la saveur d'une certaine madeleine (désormais célèbre !) trempée dans du thé.

Mais d'autres avant Proust, notamment Chateaubriand dans les *Mémoires d'Outre-Tombe* ou Nerval (*Sylvie*), ont joué de ce pouvoir magique, et ont pratiqué de telles surimpressions du présent et du passé.

A tous ceux-là, Rousseau, dira-t-on, n'a fait que frayer la voie, et timidement : certes, mais n'est-ce pas cette discrétion même de sentiments et de moyens qui est le plus sûr gage du pouvoir poétique des *Confessions* ?

Bibliographie succincte

- Deux éditions de référence pour une étude approfondie des *Confessions* :

- *Les Confessions*, éditions Garnier Frères, Paris, 1964. Longuement introduit par JACQUES VOISINE, le texte est accompagné de ses notes et variantes, ainsi que d'un index.

- *Les Confessions et autres textes autobiographiques*, dans l'édition de la Pléiade, Gallimard, Paris, 1959. Très richement annotée par B. GAGNEBIN et M. RAYMOND, cette édition magistrale fait figure de référence obligée.

- Une intéressante initiation à l'ensemble de l'œuvre de Rousseau avec GEORGES MAY, *Rousseau,* coll. Écrivains de toujours, éd. du Seuil, 1962. Excellent petit livre, clair et vivant, agréablement illustré.

- Une longue et passionnante biographie spirituelle de Rousseau : J. GUÉHENNO, *Jean-Jacques, histoire d'une conscience* (Grasset et Gallimard, 1948 - 1952, 3 volumes). Avec une sympathie chaleureuse et lucide, l'auteur a suivi Jean-Jacques dans toutes les étapes de sa vie d'homme et d'écrivain.

- D'autres révélations biographiques, brillamment érudites (notamment à propos des rapports de Rousseau et de la « coterie holbachique »), dans HENRI GUILLEMIN, *Cette affaire infernale,* Paris, Plon, 1942 ; *Un homme, deux ombres,* Genève 1943.

- Ouvrages fondamentaux de réflexion sur Rousseau :

- P. BURGELIN, *La Philosophie de l'existence de Jean-Jacques Rousseau,* Paris, P.U.F., 1952.

- M. RAYMOND, *Jean-Jacques Rousseau, la quête de soi et la rêverie,* Paris, José Corti, 1962. Un recueil d'articles suivis, écrits très limpidement autour du thème de la connaissance de soi.

- J. STAROBINSKY, *Jean-Jacques Rousseau. La transparence et l'obstacle*, Gallimard, coll. Tel, n° 6, 1971. Ce livre est un admirable essai d'interprétation synthétique d'un psychisme et d'un écrivain. La pensée de l'auteur, toujours subtile et parfois difficile, est rendue accessible par un style d'une précision et d'une clarté remarquables. J. Starobinsky a prolongé sa réflexion sur Jean-Jacques, et notamment sur les problèmes de l'autobiographie, dans les articles de *L'Œil vivant* (Gallimard, 1961) et de *La Relation critique* (Gallimard, 1970).

• Pour des travaux de recherche et d'érudition, on se reportera à la collection complète des *Annales de la Société Jean-Jacques Rousseau*, éditées à Genève depuis 1905. On y trouvera, outre des inédits de Rousseau, maints articles et études des plus grands rousseauistes.

Index des thèmes

1. Pour simplification, on a indiqué seulement le numéro du tome : dans l'éd. Folio, le tome I regroupe les livres I à VI, le tome II, les livres VII à XII.

PROFIL LITTÉRATURE

Imprimé en France par Pollina, 85400 Luçon - n° 70851-A
Dépôt légal : n° 15636 - octobre 1996